D1236637

Graal
La revanche des Ombres

www.editions.flammarion.com

87, quai Panhard et Levassor – 75647 Paris cedex 13

christian de montella

GRAAL

La revanche des Ombres

Flammarion

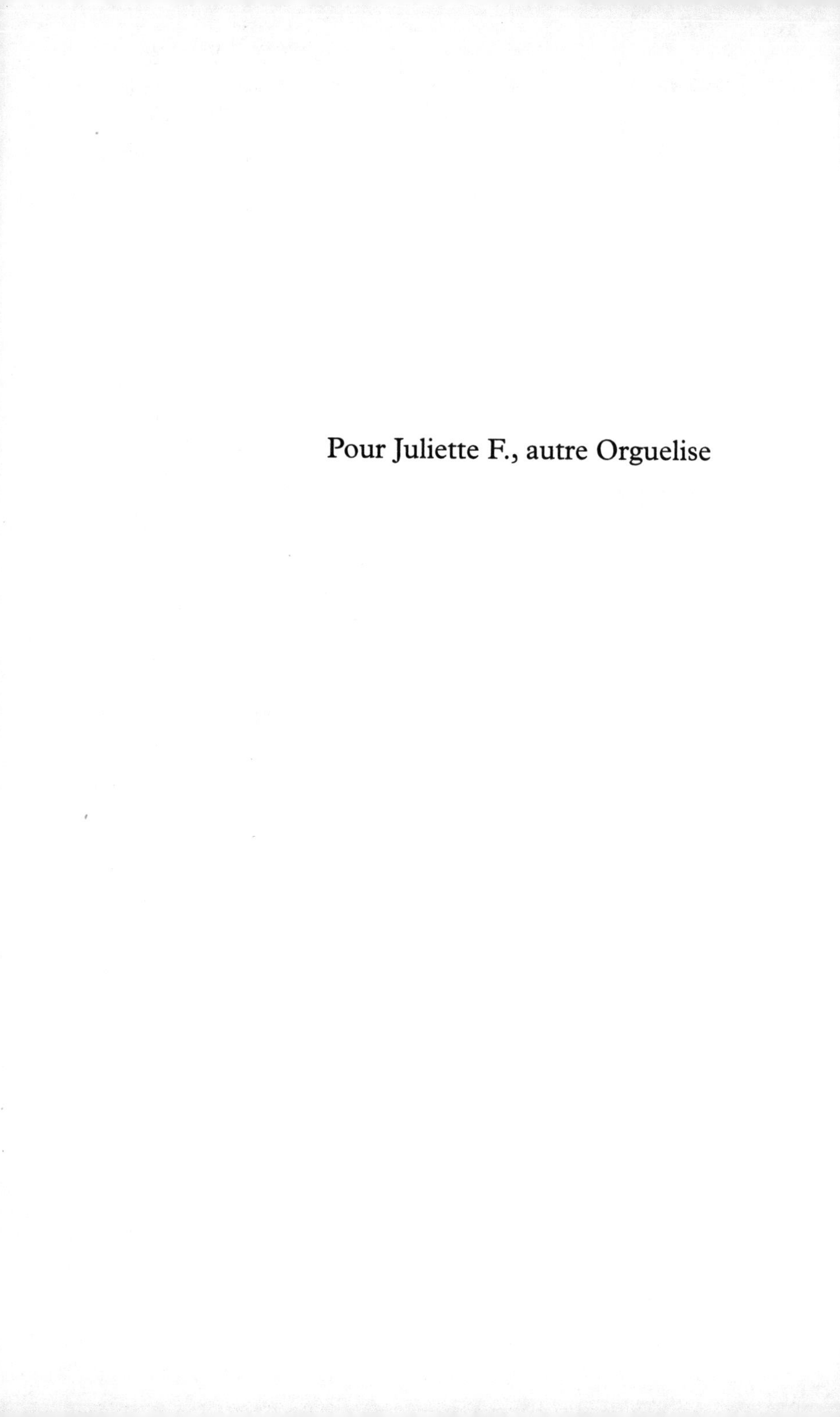

Pour Juliette F., autre Orguelise

« Elle lui dit que tout, échecs, vieillesse, souffrance, le chagrin de la vie, tout n'était qu'un mauvais rêve ; que celui qui s'était perdu était maintenant retrouvé, que sa jeunesse lui serait rendue, que jamais il ne mourrait, et qu'il retrouverait le sentier que jadis, dans une sombre forêt, il n'avait pas pris. »

Thomas Wolfe, *Le Temps et le Fleuve.*

Les Etranges Îles
ECOSSE
Île de Gorre
Château des Enchantements
Mur d'Adrien
IRLANDE
Forêt Perdue
Beau Repaire
Sorelois
PAYS DE GALLES
LOGRES
Carduel
CORNOUAILLE
Camaalot
Lawenor
Nul ne sait où se trouve le Val sans Retour. Et la Terre Gaste, n'apparaît jamais au même endroit selon les chevaliers que le roi Pellès accueille.
LOGRES
Royaume continental
Royaume de BENOÏC
le Lac
Trèbe
Terre Déserte

1

LE ROYAUME

1

Un rêve

La lande s'étendait, mauve et grise, jusqu'à l'horizon. À l'est, à l'ouest, au nord ou au sud, elle allait à la rencontre du ciel, un ciel gris où flottaient des nuages mauves. Lancelot marchait. Il ne savait pas depuis combien de temps il était là, au milieu de la lande, avançant sans que jamais le paysage change, comme si, au-delà de l'horizon et de la lande, il n'y avait jamais que l'horizon et la lande. Ses jambes se faisaient de plus en plus lourdes ; il lui semblait que le sol, sous ses pieds, devenait spongieux, aspirait ses pas, cherchait à le retenir. Épuisé, anxieux, il se retourna, mais il ne vit, derrière lui, que la bruyère, intacte, sans empreintes ni traces. Il regarda ses pieds et s'aperçut avec effroi qu'ils effleuraient à peine les fleurs violet et rose, comme s'il était suspendu en l'air. Pourtant, lorsqu'il voulut repartir, il dut faire un effort immense pour avancer encore.

« *Va plus haut... Plus haut...* » Une voix — un murmure, mais impérieux — lui soufflait à l'oreille. Il chercha autour de lui qui lui parlait. Il ne vit personne. Une brise lui enveloppa le visage, humide et tiède, et la voix répéta : « *Va plus haut... Plus haut... Plus haut...* » Alors Lancelot s'accroupit, rassembla ses forces et bondit. Il lui sembla s'arracher à la puissante succion qui le maintenait sur les bruyères, et il se retrouva plusieurs coudées au-dessus du sol. La brise, à présent, s'était lovée tout autour de son corps, tel un manteau de vent. Il songea sans surprise : « Je vole. » Il battit des bras, mais rien ne se produisit. Il se tenait debout sur de l'air, un air dur comme de la pierre. « *Plus haut... Plus haut...* », dit la voix. Lancelot hésita. Il leva la jambe droite avec précaution, tâtonna dans le vide, rencontra du bout des orteils ce qui lui parut l'arête puis la surface d'une marche. Il y déposa le pied. Il y monta. Tâtonnant encore, il découvrit une autre marche. « *Plus haut...* » Cette fois, il se décida. Il se mit à grimper, lentement, posément, l'invisible escalier. Et, plus il montait, plus ses jambes devenaient légères, plus la fatigue l'abandonnait, plus sa progression se faisait facile.

Quand la voix lui murmura : « *Arrête-toi, maintenant. Et regarde* », il eut envie de rire, pour rien, par plaisir pur, ou peut-être parce qu'il y avait des années et des années qu'il n'avait pas ressenti un tel bonheur d'être. C'est alors seulement qu'il s'aperçut qu'il était nu. Il écarta les bras et contempla son propre corps : toutes les cicatrices des nombreux combats qu'il avait livrés avaient disparu, sa musculature que l'usure du temps avait à la fois alourdie et poncée avait repris les formes vives et sèches de la jeunesse. « *Regarde* », répéta la voix de la brise.

Lancelot leva les yeux. Il dominait une terre plus

vaste qu'il ne l'avait jamais imaginé. Où qu'il portât le regard, il lui semblait que l'horizon était aboli. Le monde entier s'offrait à lui, à l'infini, villages et cités, rivières et fleuves, lacs et mers, collines et montagnes, forêts et déserts. Les saisons et les météores se mêlaient, neige d'hiver, pluie d'automne, fleurs de printemps et grand soleil de l'été — orages, bourrasques, tempêtes s'apaisaient au contact de vallées verdoyantes et calmes, de grands fleuves tranquilles soudain s'effondraient en cataractes, des volcans en éruption voyaient leurs coulées de lave fumante se métamorphoser en paisibles prairies, les châteaux étaient des chênes et les forêts des villes, il neigeait sur les déserts. Des roses poussaient sur les glaciers.

Et le vent soudain l'emporta. Il lui sembla voler, pirouetter dans le ciel : il traversait des nuages et en ressortait le corps constellé de gouttelettes ; il accompagnait des vols d'oiseaux migrateurs, il tournoyait dans le cœur des ouragans, des orages et des tornades. Il n'avait pas peur, il n'avait pas froid. Il se laissait conduire par ce souffle magique qui le portait au-dessus des montagnes, des plaines et des fleuves, par-delà les horizons.

Il était bien, et heureux. Il aurait voulu que ce voyage durât toute sa vie.

Mais tout à coup le vent le saisit et le projeta au sol. À demi assommé par le choc de l'atterrissage, il se releva, titubant. Il se trouvait dans une forêt. Dont les frondaisons étaient si denses que l'éclat du soleil n'y entrait pas. Une forêt où il faisait nuit jour et nuit.

Il avança. De quelques pas hésitants. Il crut

apercevoir, dans la pénombre qui effaçait toutes choses, deux silhouettes.

— Où suis-je ? demanda-t-il. Je ne connais pas cette forêt.

— C'est Brocéliande, répondit une voix de femme. La Forêt des songes.

— Pourquoi porte-t-elle ce nom ?

— Pourquoi t'y es-tu égaré ? répliqua une voix d'homme.

Les deux silhouettes s'approchaient. Pourtant elles restaient grises, sans visage, comme des spectres.

— Le vent du rêve m'a porté là, dit Lancelot.

— Le vent des songes, murmura l'ombre féminine.

— Ou du mensonge ? demanda l'ombre de l'homme.

Ils allaient lentement à sa rencontre. Plus ils s'approchaient, plus ils lui semblaient grands, et redoutables. Mais on ne distinguait pas leurs visages.

— Un jour cette forêt ne sera plus pour toi un rêve, dit la femme.

— Mais ta vie et ta mort, ajouta l'homme.

— Je ne comprends pas...

— Il est trop tard pour comprendre.

— Il n'est temps pour toi que de mourir.

Les ombres se précipitèrent sur lui. Il ne les reconnut qu'à cet instant : Morgane et Mordret ! Deux fantômes noirs aux dents étincelantes, aux yeux rouges, aux longues griffes, qui l'attaquaient.

Il sut qu'il ne pourrait leur échapper. Sauf... Sauf s'il s'écriait :

— C'est un rêve !

À ces mots, alors qu'ils allaient se jeter à sa gorge, les ombres de Morgane et de Mordret s'évanouirent, ne lui laissant qu'une sensation de froid autour du corps.

— *Un rêve !*

Lancelot s'éveilla en sursaut. Il balbutia encore à plusieurs reprises : « Un rêve... Un rêve... » Hagard, il regarda autour de lui : l'aube se levait, le feu était éteint, près duquel un renard et une buse se disputaient les restes d'un lièvre rôti.

— Mon dernier repas... Ce lièvre...

Lancelot se redressa péniblement. Sa couverture en peau d'ours et son propre visage étaient couverts de rosée. Du revers de la main il s'essuya les joues. Les images de son rêve le poursuivaient encore. L'escalier invisible. Le ciel. La forêt. Morgane et Mordret...

Il se secoua : « Ils sont morts. » Il se leva, ce qui fit fuir le renard et la buse. Il reprit son épée, la ceignit autour de sa taille, enfila sa cotte de mailles, se couvrit de son manteau. Il frissonna. L'humidité ravivait la douleur de ses blessures au côté et à la hanche, la faiblesse de ses chevilles plusieurs fois foulées, la fatigue de ses articulations.

Il grogna comme un ours malade.

« Reprends-toi », se dit-il. Il détestait se sentir dans cet état. La vieillesse. Il savait que cette maladie qui atteint tous les hommes le touchait plus tôt que les autres à cause des trop nombreux combats qu'il avait livrés. Pourtant, qu'avait-il le mieux aimé dans cette vie ? À part Guenièvre — un amour interdit, difficile —, il n'avait vécu que pour se battre. Connaître le plaisir dangereux de l'affrontement d'homme à homme, de chevalier à chevalier, de soi à l'adversaire, quel qu'il soit.

Il grogna encore, plus bas. Il sella son cheval et se hissa sur son dos. Même ça, cela lui faisait mal.

Il donna un léger coup d'éperons. Son roncin partit au pas le long du vallon. Le jour se levait.

Il y avait deux semaines maintenant qu'il avait quitté les terres de l'ancien royaume de Logres et franchi la mer. Il avait évité les chemins trop fréquentés. Il ne voulait croiser personne. Après avoir rencontré l'humiliation en Écosse, sur les traces de son fils Galahad, il n'avait plus l'envie de risquer l'affrontement avec quiconque. Lui qui, pendant toute sa vie, n'avait connu que la victoire en tous ses combats, se demandait ce qu'il valait encore. « Je suis vieux, pensait-il, trop vieux pour la bataille ou le tournoi. Je ne sers plus à rien. » Il traversait prudemment les forêts et les vallons de Gaule avec une seule idée en tête : retourner sur les lieux de son enfance, retrouver le Domaine du Lac, renouer avec sa mère en chevalerie, Viviane. Il n'avait qu'une crainte : qu'elle soit morte. La dernière fois qu'il l'avait vue, dix années plus tôt, elle avait incroyablement vieilli, peu à peu abandonnée par ses pouvoirs de fée. « Et Merlin ? songea-t-il. Qu'est-il devenu ? Est-ce que lui aussi a perdu ses pouvoirs, et peut-être la vie, parce que plus personne ne croit aux anciens dieux ? »

Le roncin avançait comme s'il avait connu le chemin à suivre de toute éternité. Et ce devait être vrai puisque, tout à coup, le paysage devint familier à Lancelot. Ces bois, ces collines... Et surtout ce lac, dont la surface brillait dans le soleil. Lancelot arrêta son cheval. Soudain, il oublia ses douleurs d'homme prématurément vieilli. Contemplant ce paysage où il avait grandi, il se sentit redevenir enfant, il se rappela toutes les promesses que le monde et sa propre jeune force semblaient alors lui mettre entre les mains, pour en user, pour en jouer, pour devenir celui qu'il voulait — devait — être : « le plus grand chevalier du monde ».

— Songes d'enfant, grommela-t-il.

Quand il parvint à la rive du lac, il retint son cheval qui s'affolait. L'eau — qui n'était qu'une illusion façonnée par les pouvoirs de Viviane et destinée à écarter les intrus du Domaine — avait une étrange couleur de plomb. Elle semblait formée de centaines de reflets, posés les uns à côté des autres, mais qui ne se rejoignaient pas. Telle une armure disloquée. Entre chaque élément de cette armure, de cette eau magique, on pouvait voir le village et le château du Domaine, tout au fond du Lac. L'illusion féerique se dissipait. Elle ne protégeait plus le Lac contre ses ennemis.

Lancelot descendit de cheval. Le tirant par les rênes, il le força à entrer dans l'eau parcellaire du lac. Peu après, il retrouva le chemin qui descendait au château, chemin qu'il avait pris des milliers de fois dans son enfance.

Il parvint aux abords du village. Il en remarqua aussitôt le délabrement. Les façades des maisons étaient fissurées. Leurs volets à demi arrachés. Les portes, certaines battantes, ouvraient sur des foyers éteints, des cuisines vides, pleines de poussière et de toiles d'araignée. Il n'y avait plus un habitant dans le village.

Plus loin, le pont-levis du château était abaissé. Il suffit d'un coup d'œil à Lancelot pour comprendre qu'il n'avait pas été relevé depuis des mois, peut-être des années. Une mousse verte et rousse en rongeait les planches. Les chaînes avaient rouillé. Aucun soldat n'en gardait l'entrée.

Le village, comme le château, et comme le Lac tout entier semblaient avoir été désertés. Abandonnés.

Lancelot laissa aller son roncin et s'engagea seul sur le pont-levis vermoulu. Les planches dévorées de mousse et de lichen craquaient lugubrement sous ses pieds. Il leva les yeux vers la herse de l'entrée : elle était rouillée à un tel point que c'était miracle qu'elle ne se fût encore écroulée.

— Partez d'ici ! Quittez le Lac ! Ou je vous tue moi-même !

Lancelot mit la main au pommeau de son épée. Qui l'attaquait ?

Il se retourna, la lame à la main. Il allait frapper.

— Sortez d'ici ! Sortez d'ici, par le pouvoir des druides !

L'agresseur, qui avait le plus grand mal à soutenir le poids de son épée dans ses deux poings, avait cent ans. Peut-être. En tout cas, il semblait les avoir. Et Lancelot se sentit d'autant plus jeune en lui faisant face qu'il le reconnut, malgré les rides et les ans.

— Caradoc ! Mon maître !

À cette exclamation, le vieux précepteur eut un mouvement d'hésitation tremblante. Il essaya tout de même de relever son épée pour en assener un coup à l'intrus, mais l'effort était trop énorme pour ses bras maigres comme des branchettes mortes. Il perdit l'équilibre, trébucha, et il fallut que Lancelot le prenne dans ses bras pour qu'il ne se brisât pas en deux en tombant par terre.

— Mon maître ! C'est moi ! C'est Lancelot !

Le vieillard se débattit, de toutes les pauvres forces qui lui restaient.

— Assassin ! Saxon ! Suppôt de Claudas !

Lancelot le serra dans ses bras, à la fois pour le calmer et pour lui prouver son amitié.

— Ai-je donc tant changé, Caradoc ? J'ai été votre élève pendant près de dix-huit ans...

Le vieillard, étreint par Lancelot, cessa peu à peu de s'agiter en pure perte. Il toussa, leva son profil maigre vers celui qui le serrait dans ses bras, et admit :

— Ah, oui... Peut-être... Comment avez-vous dit que vous vous nommiez ?

— Lancelot. Enfin, non... Pour vous, Caradoc, j'étais « Lenfant ».

— Lenfant ! Ah, ah ! Lenfant !

Caradoc se mit à rire. Lancelot le relâcha. Le vieillard fit deux pas en arrière, les yeux rivés sur le chevalier.

— C'est toi ? demanda-t-il. C'est vraiment toi ?

— Oui...

— Tu étais si jeune...

— Le temps passe, Caradoc.

Le vieillard se frotta les mains, hocha la tête.

— Oui, murmura-t-il. Pour tout le monde. Même...

— Même...

— Même pour les fées, dit-il.

Puis, dévisageant Lancelot, il ajouta :

— Et je le vois bien : pour les chevaliers aussi.

2

Viviane

Lancelot suivit Caradoc jusque dans le château. La salle était vide, résonnant sous leurs pas. Là où Lancelot attendait de rencontrer de nombreux jeunes varlets, des écuyers, des domestiques, il n'y avait personne. Dans la vaste cheminée, aucun feu ne brûlait.

— Que se passe-t-il, mon maître ? demanda-t-il. Je ne vois personne.

— C'est qu'il n'y a personne, répliqua le vieillard en retrouvant un peu de son alacrité. Ils sont partis. Tous !

— Où cela ?

— Oh... Le monde change... Un jour, le pouvoir est ici. Un autre jour, il est ailleurs. Les gens vont toujours là où est le pouvoir.

— Et vous ? Vous n'êtes pas parti ?

— Pourquoi partirais-je ? Je suis trop vieux et trop fidèle. Deux graves défauts dans ce monde nouveau que les Saxons et la chrétienté veulent établir en se chamaillant.

— Où sont-ils tous ?
— À Trèbe. Chez Claudas.
Alors qu'ils grimpaient les marches d'un escalier, le vieux Caradoc se tourna vers Lancelot.
— Pourquoi es-tu revenu, Lenfant ? C'est trop tard.
— Je ne sais pas si c'est trop tard. En tout cas, je suis revenu.
Le vieillard le considéra, lentement, des pieds à la tête.
— Je me rappelle l'enfant que tu étais, lorsque tu n'avais d'autre nom que « Lenfant ». Et le jeune homme que Dame Viviane a emmené chez Arthur. Toi aussi, n'est-ce pas, tu as connu le passage des ans, les injures de la vie et du temps ?
Lancelot hocha la tête.
— Oui... J'ai vieilli, comme vous. Et Dame Viviane ?
Caradoc haussa les épaules avec agacement.
— Elle est une fée : elle ne vieillit pas !
— Tant mieux. J'ai tant envie de la revoir.
— Elle ne vieillit pas, mais elle meurt. Elle meurt d'être une fée.
De ses petits yeux de centenaire, Caradoc dévisagea Lancelot.
— Que viens-tu lui apporter ? Du bien ou du mal ?
— Je ne sais pas... Je suis venu, c'est tout...
— Pourquoi ?
— Pour moi... À cause de mon enfance auprès d'elle. C'était un tel bonheur de vivre, alors...
Le vieillard fit une grimace — mépris, dépit, qui peut savoir ?

— Tu as été chevalier de la Table Ronde. Il n'a tenu qu'à toi, et à Arthur, le roi, que nous connaissions encore le bonheur de vivre.

— Que voulez-vous dire ?

— Vous n'avez pas su protéger notre monde.

Lancelot ne trouva rien à répondre à cela. Car il était d'accord avec le vieux Caradoc. Il se sentait responsable de la ruine de ce monde qui l'avait vu naître.

— Comment, demanda Caradoc, comment n'as-tu pas réussi à renvoyer les Saxons à la mer ? Pourquoi n'es-tu jamais venu à notre secours ?

Lancelot baissa la tête.

— Il y a eu la bataille de Carduel... Le roi et tous les chevaliers y ont laissé la vie. Après... Les Saxons étaient les plus forts...

— Foutaises ! Les chevaliers d'Arthur n'auraient jamais dû être vaincus à Carduel. Si tu n'avais pas aimé Guenièvre, notre monde serait resté le même !

— Caradoc, mon maître, voulez-vous dire... ?

Ils étaient arrivés au sommet de l'escalier. Ils s'engagèrent dans une coursive. Le vieillard haussa violemment ses épaules maigres.

— Je dis ce que je crois : un roi trompé perd sa force et son pouvoir. Lancelot, tu as été l'espoir des royaumes celtiques : tu étais destiné à trouver le Graal. Puis tu as été leur perte. Et maintenant ? Hein ?... Et maintenant ?

Ils s'arrêtèrent devant une porte. Caradoc la désigna à Lancelot.

— Entre. Viviane est là.

— Vous ne m'accompagnez pas ?

— Cette histoire n'est plus la mienne. Je suis vieux et inutile.

— Comme moi, fit Lancelot en baissant la tête.

Les petits yeux de Caradoc étincelèrent de colère sous les paupières fripées. Il gifla le chevalier en plein visage.

— Cesse de t'apitoyer sur toi-même, Lenfant ! Je ne t'ai pas éduqué comme ça !

La chambre était plongée dans la pénombre. Lancelot, hésitant, la joue encore brûlante de la gifle de Caradoc, s'avança lentement vers le grand lit à baldaquin qui en était à la fois le meuble et l'ornement. Là, le buste appuyé à de nombreux coussins, il découvrit une femme. Oh, à peine une femme... Un corps d'une telle maigreur qu'il semblait presque flotter sur sa couche.

Une chandelle brûlait au chevet du lit. Lancelot la prit et l'approcha : oui, c'était bien elle, c'était bien Viviane, la merveilleuse, la magnifique, celle dont la beauté avait rendu Merlin fou d'amour. Malgré la maigreur extrême du visage, malgré les rides quadrillant les joues, le front et les paupières, il restait ce regard intense et clair, comme dernière preuve de vie et de pouvoir d'un corps déserté par ses propres forces.

— Viviane... C'est moi...

— Toi ?...

Une main décharnée se souleva, se tendit, en tremblant, vers Lancelot, retomba, épuisée, sur le lit.

— Qui es-tu, toi ?...

— Lancelot. Lenfant. Votre fils...

— Je n'ai pas de fils...
— Si ! Moi !
— Mon seul enfant, je l'ai volé. Volé à sa mère.
— C'était moi. Et je suis votre enfant. Je suis votre fils, parce que grâce à vous je suis devenu ce que je suis.

Dans ce visage sans chair, ce visage blême et incroyablement ridé, les yeux clairs, immenses, vivaient seuls. Ils se posèrent sur Lancelot, le contemplèrent avec une sorte de surprise triste.

— Ainsi te voilà ?... Lenfant, c'est toi ?... Tu as tellement changé. Je ne t'aurais pas reconnu. Tu étais si jeune... Si vif et si fort... C'est quoi, ces cicatrices qui barrent ton front ?
— Ce ne sont pas des cicatrices.
— Qu'est-ce que c'est, alors ?
— Ce sont des rides.
— Des rides ?... Tu as vieilli ? Lenfant a vieilli ?... Non. C'est impossible. Tu n'es pas Lenfant.
— Je suis Lancelot. J'ai été Lenfant.
— Non. Je ne te crois pas. Tu es un leurre. Une illusion de ma maladie.
— Quelle est votre maladie ?
— La maladie de la mort... Une maladie qui ne devait jamais toucher les fées...

Sa main maigre comme une griffe saisit tout à coup celle de Lancelot.

— J'ai des pouvoirs... extraordinaires. Je les avais. Et puis je les ai perdus... Pourquoi ?
— Je ne sais pas...
— Moi, je sais : j'ai élevé un enfant pour qu'il devienne le souverain du monde. Il m'a trahie... Il a aimé l'épouse de son roi, et puis...

— Je suis cet enfant. Mais je ne vous ai pas trahie. J'ai aimé Guenièvre parce que...

— Parce que ?

— Je ne pouvais vivre autrement que de l'aimer.

La main de Viviane se resserra avec force sur la sienne.

— Alors c'est vraiment toi ? Lenfant ? Lancelot ? L'ingrat ? Celui qui n'a pas été celui qu'il devait être ? Celui à cause duquel le monde a changé d'âme et m'a renvoyée, moi, pauvre fée, à l'inexistence ?

— Viviane... Je n'ai jamais eu d'autre mère que vous... J'ai suivi vos enseignements... Mais les aléas du monde...

— Ne te cherche pas d'excuses. Tu m'as trahie, c'est tout ce que je retiens. Regarde dans quel état je suis...

Il la vit, telle qu'elle se montrait.

— C'est ta faute, reprit-elle. Mais je te pardonne. Il faut maintenant que tu accomplisses ton autre destin.

— Mon... autre destin ?

— Ton premier défi était celui d'un chevalier de la Table Ronde : trouver le Graal. Tu ne l'as pas réussi. Mais il te reste un autre défi : venger ton père, Ban de Bénoïc.

— Viviane... je suis venu ici pour vous revoir... Pas pour m'engager dans de nouveaux combats...

Tout à coup elle se redressa sur sa couche. Dans son corps squelettique, on ne voyait plus que ses yeux, vert-bleu, intenses et... jeunes.

— Tu n'en as pas fini des combats, Lancelot, Lenfant, fils de roi ! Il y a une forteresse, qui s'appelle Trèbe, et qui est à quelques lieues d'ici. Cette forteresse, Trèbe, a été volée à ton père, Ban de Bénoïc, il y a quarante ans. Je n'attends qu'une dernière chose de toi...

Elle retomba soudain sur sa couche. Lancelot se pencha, inquiet. Elle rouvrit les yeux et le dévisagea, du menton au front.

— Tu n'as pas su être le fils comme l'auraient voulu mon cœur et ton destin. Sois le fils de ton père. Il ne te reste rien d'autre à accomplir. Adieu.

Elle ferma les paupières. Son corps, si maigre, comme dévoré de l'intérieur, ne respira plus. Lancelot se jeta sur elle, la secoua.

— Viviane !... Ma mère !... Je vous en prie...

— Vous me faites honte, tonna derrière lui la voix de Caradoc. Vous faites honte à la mémoire de Viviane. Elle est morte, c'est ainsi. Redressez-vous, par Merlin, nos dieux, leurs druides et leurs pouvoirs !

Le vieillard s'approcha de Lancelot en claudiquant et le saisit rudement par le bras, comme il le faisait de ses mauvais élèves.

— Viviane n'a pas besoin de pleureuses ! Et vous n'avez pas le droit de pleurer ! Rappelez-vous son enseignement. Agissez ! Vous êtes un chevalier !

Lancelot se dégagea. Des larmes coulaient sur ses joues. Il se sentait, oui, en deuil de Viviane, en deuil de cette femme, de cette fée, qui l'avait élevé comme un fils.

Il se pencha sur elle. Il voulait lui embrasser le front, pour un dernier adieu.

Une étrange lueur bleue l'enveloppa. Il recula, effrayé. Brusquement, sans que rien l'ait annoncé, elle se transforma sous ses yeux. Ses rides s'effacèrent comme le lit craquelé d'une rivière à sec revit soudain sous une eau neuve qui déferle. Ses joues, ses seins, ses hanches, ses cuisses reprirent la forme — séduisante — qu'elles avaient lorsque Viviane était fée. Lancelot, éberlué, recula encore. Viviane (une Viviane jeune comme une fée) se redressa, l'embrassa au front et lui murmura :

— Je t'aime. Fais ce que je t'ai dit. Je m'en vais.

— Où ? Viviane ! Restez ! Restez avec moi ! Où allez-vous ?

— Je vais à Avalon.

Et, sur ces derniers mots, la lueur bleue devint si intense et si violette que Lancelot, aveuglé, dut fermer les yeux.

Quand il les rouvrit, il n'y avait plus personne sur le lit. Aucune Viviane, ni jeune ni vieille. Personne.

Personne.

Caradoc lui saisit le poignet.

— Sors d'ici. Et rappelle-toi ce qu'elle t'a demandé.

Le vieillard lui empoignait le bras avec une force extraordinaire.

— Je ne... je ne me rappelle pas, balbutia Lancelot. Que m'a-t-elle demandé ?

— Sois un fils selon son cœur. Et selon ton destin... Reprends Trèbe.

— Pourquoi ? Arthur est mort. La Table Ronde est morte. Logres est aux mains des Saxons. Je ne suis plus rien.

— Tu es Lancelot !

— Je ne suis personne.

3
Trèbe

Le mendiant arriva à la grand-porte. Il boitait, son dos semblait le faire souffrir. La forteresse de Trèbe était gardée par des soldats de vingt ans, insouciants parce qu'ils n'avaient jamais connu la guerre. Ils plaisantaient entre eux, sans vraiment prêter attention aux quelques charrettes et aux paysans chargés de paniers ou de fagots qui passaient la grand-porte. Le mendiant, appuyé sur un bâton noueux qui lui servait de canne, put entrer sans encombre.

Dans la cour du château étaient disposées plusieurs rangées d'étals. On y vendait des légumes et des fruits, de la viande séchée, et toutes sortes d'ustensiles de fer, de cuivre ou de bois. C'était jour de marché. Le mendiant, dont on ne distinguait pas le visage sous un capuchon de toile grossière et crasseuse, s'immobilisa et observa.

Une foule de gueux se pressait entre les marchandises, surveillée à la fois par des patrouilles de soldats allant par trois et par des archers qui, l'arme au pied, se tenaient sur les remparts. Voûté, boitant bas, le mendiant contourna lentement la cour et la foule, en demeurant le long de la muraille.

Il fut arrêté par l'enclos qu'un bouvier avait improvisé au pied du rempart. Il avait trois bœufs bruns, au poil soigneusement brossé et lustré. C'était un petit homme ventru, au nez rond comme ses joues, qui souriait perpétuellement en interpellant les gens qui passaient.

— Regardez ! Admirez ! Mes beaux bœufs ! Mes beaux bœufs ! Vous n'en verrez jamais de plus dociles ni de plus forts ! Regardez ! Admirez ! Charrues et charrettes, ils vous les tireront jusqu'au bout du monde ! Mes beaux bœufs ! Mes beaux bœufs ! Mes beaux bœufs !

Il semblait s'amuser beaucoup de son cri, « Mébobeu ! », qu'il répétait en perchant sa voix chaque fois un peu plus haut. Pourtant, personne ne s'arrêtait devant son enclos. Il haussa les épaules, flatta le flanc de l'une de ses bêtes, et s'avisa de la présence du mendiant.

— Hé ! Toi ! Monseigneur ! Que dirais-tu d'un bœuf, de deux, de trois ?

Le mendiant, surpris, s'écarta de deux pas.

— N'aie pas peur ! Sors la bourse lourde d'or que tu caches sous ton riche mantel !

Tout à coup, avec une vivacité surprenante, le bouvier sauta par-dessus la barrière de l'enclos et s'approcha du mendiant. Il lui posa une main amicale sur l'épaule. Toujours souriant, il se pencha à son oreille et lui souffla :

— Qu'es-tu venu chercher ici ?

Le mendiant eut un mouvement de recul. Il releva

brusquement la tête et l'on put apercevoir, sous l'ombre du capuchon, l'éclat très clair de son regard.

— La charité, répondit-il d'une voix basse, éraillée. De quoi manger. Quelque part où dormir.

— Tes désirs sont trop modestes, chevalier...

— Je ne suis pas chevalier.

Le petit gros homme rit.

— D'accord ! Je suis bouvier et tu n'es pas chevalier.

Cette fois, les yeux clairs du mendiant se posèrent, intrigués, sur ce visage rond et jovial.

— Qui es-tu ?

— Qui le sait ? répliqua le bouvier.

Quittant soudain le mendiant, il se dirigea vers un groupe de six hommes qui approchait. Ils étaient jeunes, tous vêtus de magnifiques mantels bordés de loutre ou d'hermine et portaient des chausses brodées de fil d'or. Les gueux et les soldats leur livraient passage avec une sorte de respect craintif.

— Ah ! s'écria le bouvier. Seigneur Malangrenant et vous, messeigneurs ses rivaux et camarades, quel plaisir de vous voir !

Le plus grand des six hommes, qui marchait légèrement en tête, tout habillé de jaune, haussa les sourcils et porta un carré d'étoffe à ses narines, comme si l'odeur du bouvier l'indisposait.

— Qui t'a permis de t'adresser à moi, pouilleux ?

Le sourire du bouvier devint radieux, comme s'il avait reçu un compliment.

— C'est que mes bœufs sont trop beaux pour cette populace, monseigneur ! Vous seul ici pouvez et devez me les acheter !

Malangrenant fit une grimace, regarda ses compagnons et gloussa avec mépris.

— Des bœufs ? Que veux-tu que j'en fasse ?

— Vous n'êtes pas sans savoir, monseigneur, que, dans l'antique religion, les bœufs sont symbole de bonté, de force et de calme ?

— Et alors ?

— Je m'étais dit que vous pourriez les engager comme conseillers particuliers. Ils ont beaucoup à vous apprendre.

L'insolence de la réplique était telle que Malangrenant mit quelques instants à la comprendre, puis à revenir de sa stupéfaction. Le bouvier souriait toujours, les deux mains sur ses hanches grasses. Malangrenant rougit jusqu'aux oreilles, sa bouche se contracta de fureur. Il tira maladroitement la courte épée de parade qui lui battait la cuisse et se jeta sur l'insulteur.

Il n'en était qu'à un pas lorsque le mendiant tendit le bâton de sa canne. Malangrenant s'y prit les pieds, trébucha, poussa un cri et s'affala de tout son long dans la bouse et la boue du pavé.

Les paysans, les gueux, les marchands et les soldats, aux alentours, éclatèrent de rire. Déjà, le bouvier s'était enfui à toutes jambes, à une vitesse étonnante pour un homme de sa corpulence. Il s'enfonça dans la foule du marché, où il disparut.

Furieux, Malangrenant se releva. Son mantel et ses chausses jaune d'or étaient maculés de crotte.

— Eh bien ? hurla-t-il aux soldats. Qu'attendez-vous ? Attrapez-le !

Tandis que les hommes d'armes obéissaient, il tourna la tête de tous côtés, comme une poule affolée, à la recherche du mendiant qui l'avait fait tomber. Mais il ne le vit nulle part. Fou de colère et d'humiliation, il assena de grands coups au sol avec son épée de parade.

— Je hais cette populace ! Je la hais, je la hais, je la hais !

La frêle lame se brisa.

Quelques instants plus tard, de l'autre côté de la cour du château, le mendiant se présentait à l'entrée de la salle. Les soldats en faction le laissèrent passer, selon l'usage qui voulait que les miséreux, les jours de marché, aient le droit de réclamer l'aumône au maître du royaume de Bénoïc.

Ce jour-là, la salle avait été préparée pour le grand événement qui devait avoir lieu le soir même. De cet événement, le mendiant ignorait tout, aussi fut-il surpris de voir disposées, devant l'immense cheminée où rôtissaient trois sangliers, sept cibles de paille tressée. À l'autre extrémité de la vaste salle, une grande table de banquet avait été dressée sur une estrade jonchée de fleurs et d'herbe fraîches.

Plus courbé que jamais, le mendiant fit quelques pas, puis alla se mêler, dans l'angle où ils s'étaient rassemblés, à une dizaine de pauvrets qui se partageaient du pain noir. Il s'assit auprès d'un homme si maigre que, sous la peau blanchâtre de son crâne chauve et de son visage, on devinait la forme des os. Du coin de l'œil, sans détourner la tête, l'homme le regarda s'installer. Puis il lui tendit un croûton de pain.

— Tu es nouveau, toi...

D'une inclination de tête, le mendiant le remercia.

— Je voyage. Je suis arrivé hier dans les parages. On m'a dit qu'à Trèbe le seigneur est généreux et offre l'aumône.

— Le seigneur ? On t'a dit ça ? Il n'y a plus de seigneur ici.

L'homme maigre cracha par terre.

— Trèbe et Bénoïc appartiennent au roi Claudas, je crois ? dit le mendiant.

— Claudas est mort. Lors du dernier hiver.

— Claudas... ? Claudas est mort... ?

Pour la première fois, l'homme maigre tourna franchement la tête vers le mendiant.

— Tu sembles bien affecté par la nouvelle... Que peut bien te faire la mort d'un roi que tu ne connaissais pas ?

— Oh... La mort d'un roi réputé pour sa générosité est toujours une mauvaise nouvelle...

L'homme maigre ricana et cracha à nouveau devant ses pieds.

— Claudas, généreux ? On t'a bien mal renseigné. Quarante ans de règne, vingt ans d'injustices, de meurtres et de rapines...

— Mais... cette hospitalité, ce pain que nous mangeons ?

— C'est la reine. Quand, il y a vingt ans, il l'a épousée, rien ne pouvait nous arriver de meilleur. C'est grâce à elle qu'à chaque nouvelle lune Trèbe est ouvert à tous pour un jour de marché et d'aumônes. C'est elle qui a fait cesser la mise à sac de nos fermes et de nos villages et l'enlèvement de nos plus belles filles. Elle avait beaucoup d'influence sur lui.

— Mais, s'il est mort et si elle règne à sa place, les jours à présent sont plus heureux pour ses sujets ?

L'homme maigre cracha une troisième fois.

— Ça pourrait, ça devrait... Mais ça ne durera pas.

— Pourquoi ?

Tendant un doigt qui semblait celui d'un squelette, l'homme désigna la table du banquet.

— Tu vois ça ? Ils vont ripailler là ce soir et décider de notre sort.

— Qui ? Je ne comprends pas.

L'index de l'homme maigre se pointa sur les sept cibles dressées devant la cheminée.

— Ces cercles de paille nous diront notre avenir avant la minuit.

— Explique-moi.

— C'est une longue histoire, mais je vais l'abréger pour toi. Claudas était un imposteur, un usurpateur. Il n'est devenu roi qu'en trahissant son roi. Celui-ci — il s'appelait Ban —, les vieux s'en souviennent, était bon, était fort. Bénoïc vivait dans l'opulence et la paix. Mais Ban vieillissait et n'avait pas de fils. Il a épousé une jeune femme et elle lui a donné ce fils qu'il désirait tant. Tout semblait pour le mieux. Pourtant...

— Pourtant ? demanda le mendiant, d'une voix altérée.

— Un vieil homme, une jeune femme... Fatal accouplement... Tu ne sais sûrement pas ce que c'est, mais tu peux l'imaginer. Le roi Ban était si amoureux de son épouse qu'il a négligé son rôle de roi. Il a peu à peu délégué ses pouvoirs à son sénéchal, en lequel il avait, malheureusement, toute confiance.

— Claudas ?

— Oui, Claudas. Et Claudas a su manœuvrer de

telle sorte que les troupes du royaume lui ont été acquises. Puis il s'est acoquiné aux envahisseurs saxons. Un soir, il s'est emparé de Trèbe. Ban, son épouse et leur fils — qui n'était qu'un nourrisson — n'ont eu que le temps de s'enfuir avec quelques fidèles.

— Que leur est-il arrivé ?

— On n'a retrouvé, le lendemain, que le corps de Ban, quelque part sur le domaine du Lac, non loin de la rive. De son épouse et de son fils, il n'a plus jamais été question. Sans doute les Saxons, les Guerriers Roux, les ont-ils pris et tués...

Un silence s'installa, durant lequel le mendiant hocha longuement la tête, et des varlets vinrent servir des gamelles au groupe des miséreux. L'homme maigre se leva, disputa sa part aux autres et revint s'asseoir près du mendiant. Il lui tendit un petit pot de terre fumant qui sentait la graisse de porc.

— Prends. On ne sait pas ce que demain nous réserve.

Le mendiant accepta distraitement la gamelle.

— Tu ne m'as pas expliqué pourquoi il y a ces cibles au fond de la salle...

L'homme maigre but à longs traits le brouet chaud qu'on venait de lui servir, puis, d'un revers de poignet, il s'essuya les lèvres et reprit :

— La coutume et la loi, mon ami, voilà ce qui se passe... La loi du royaume de Bénoïc, c'est qu'une femme ne peut régner. Il faut un homme, un souverain à Trèbe.

— Tu m'as dit que Claudas avait eu un fils.

— Il a seize ans. Il est bien trop jeune et trop tendre. Sa mère le sait : s'il montait sur le trône aujourd'hui, dès demain il risquerait la mort, par le poison ou le poignard. Alors la reine a choisi de se plier à la coutume.

— La coutume ?

— Cette nuit, à la fin du banquet, tous ceux qui prétendent au trône vont s'affronter dans un concours d'archers. Chacun disposera de sept flèches. Celui qui en aura fiché le plus grand nombre au plus près du cœur de la cible épousera la reine et deviendra le maître de Bénoïc et de Trèbe.

— Qui sont ces prétendants ?

La question fit encore cracher l'homme maigre.

— Des gredins, fils de vavasseur ou de Saxon. Le pire d'entre eux s'appelle Malangrenant.

— Je l'ai vu, tout à l'heure, au marché.

— Belle figure de crétin, n'est-ce pas ? Trop lâche pour qu'on l'ait vu dans un tournoi, mais il paraît qu'il est le meilleur archer de Gaule. Demain, il aura tout pouvoir sur le royaume. Si seulement je savais...

— Si tu savais quoi ?

— Me servir d'un arc. Je tenterais ma chance.

— Tu en aurais le droit ?

— Regarde : il y a sept cibles. Les prétendants sont six. La septième cible sera offerte, selon la coutume, à « qui ose ».

— N'importe qui ?

— Oui, c'est la tradition. N'importe qui. Moi... ou même toi !

L'idée que le mendiant pourrait tirer à l'arc fit rire l'homme maigre.

— En réalité, reprit-il, la septième cible n'est qu'un très mince espoir. Mais un espoir tout de même...

— C'est-à-dire ?

— Dorin pourrait réclamer la septième cible.

— Dorin ?

— Le fils de Claudas et de la reine. Mais il n'a que seize ans. Et il est si frêle...

L'homme maigre cracha une dernière fois entre ses pieds.

— Faut pas se faire d'illusions : demain le roi se nommera Malangrenant. Et nous replongerons dans le malheur...

4
La septième cible

Le mendiant passa la journée assis parmi les miséreux dans l'angle de la salle que l'usage leur réservait. L'homme maigre s'était endormi, apaisé et réchauffé par le bouillon à la graisse de porc. Varlets et écuyers vaquaient dans la salle, qui s'occupant des sangliers à la broche, qui renouvelant les jonchées d'herbe et de fleurs sur l'estrade, qui installant sièges et bancs autour de la table du banquet. On entendait, provenant de la cour, la rumeur de la foule des marchands et de leur clientèle.

Le soir tomba. Des varlets vinrent allumer des flambeaux, d'autres disposèrent des dizaines de chandelles sur la table et sur l'estrade. Malangrenant apparut dans la salle, revêtu de nouveaux habits jaunes. Il promena aux alentours un regard satisfait, puis s'approcha des cibles. Il les inspecta une à une. Il émit un petit ricanement quand il parvint à la dernière, la septième. Le mendiant se renfonça dans l'ombre.

Quand la nuit fut tout à fait tombée, le son lugubre

d'un cor retentit trois fois dans la cour. Peu après, la foule des marchands, des paysans et des gueux commença à s'écouler dans l'immense salle. Hommes et femmes — beaucoup d'entre elles, portant des nouveau-nés, guidaient à grands cris de petites troupes d'enfants — s'installèrent le long des murs, dans un vacarme d'appels, de rires et de bousculades. Le cor résonna à nouveau, longuement : un héraut se tenait sur l'estrade, embouchant son instrument. La foule, très vite, s'apaisa et se tut.

Au sommet du grand escalier de pierre blanche qui descendait droit sur l'estrade apparurent deux silhouettes. La lueur des flambeaux et des chandelles leur projetait des ombres gigantesques sous la voûte. Le mendiant releva légèrement le bord de son capuchon pour mieux voir. Le héraut souffla dans son cor. Les deux silhouettes, suivies et comme protégées par leurs ombres immenses, dégravirent lentement l'escalier.

La reine était une femme brune à la longue chevelure librement déployée sur ses épaules. Elle portait une simple robe blanche. Le mendiant fut surpris de la trouver si jeune d'apparence. Comment pouvait-elle avoir été mariée vingt ans à Claudas et ressembler encore à une jeune fille ? Comment ce long garçon gracile qui lui tenait le bras pouvait-il être son fils ? Dorin dominait sa mère d'une tête. Il était roux, de ce roux profond et sombre des feux qui couvent. Comme sa mère, il avait de grands yeux d'un bleu vif dont le regard balaya lentement la salle où étaient rassemblés une centaine des sujets de Bénoïc. Le mendiant eut l'étrange impression d'avoir déjà vu ce visage — ou plutôt que ce visage ressemblait à l'épure d'un autre visage qu'il connaissait bien. Il n'eut pas l'occasion d'élucider ce mystère : la reine et Dorin parvinrent au bas de l'escalier et contournèrent la longue table du banquet pour s'approcher de leurs places.

Le cor retentit une nouvelle fois. Six hommes pénétrèrent dans la salle par la porte du fond. Malangrenant à leur tête, ils remontèrent à pas lents jusqu'à l'estrade, sans un regard pour les manants entassés contre les murs. Dans leurs habits aux couleurs éclatantes, ils paradaient tels, se dit le mendiant, de grands paons ridicules. Parvenus au pied de l'estrade, ils firent une halte et s'inclinèrent devant la reine. Mais d'une telle façon que même ce geste de politesse et d'allégeance pouvait passer pour de l'ironie.

— Messieurs, déclara la reine, nous vous attendions.

Ricanants, tout pleins d'eux-mêmes, ils montèrent sur l'estrade et prirent place autour de la table. Malangrenant s'assit en face de la reine.

Une dernière fois, le héraut sonna du cor. Des chevaliers et leurs dames, membres de la cour de Trèbe, entrèrent à leur tour et, après avoir salué leur souveraine, allèrent s'installer à la table du banquet. Les prétendants les dévisagèrent effrontément, comme si chacune des dames pouvait être la leur, comme si leurs chevaliers servants n'étaient que des domestiques.

L'homme maigre cracha par terre.

— Ils sont pires que des Saxons, grogna-t-il. Et dans quelques heures, l'un d'entre eux sera notre roi...

Il se coucha, recroquevillé, contre le mur.

— Je ne veux plus voir ça...

À l'étonnement du mendiant, l'homme maigre s'endormit aussitôt. Il ronflait même un peu...

Peu après, les varlets apportèrent les plats de sanglier et de gibier et firent leur service, sous les ordres des écuyers tranchants. D'autres servirent le vin.

Dès qu'un plat avait été proposé aux hôtes de la grande table du banquet, les varlets en apportaient les restes aux gens du peuple assis dans la salle. Personne n'osait se battre ou se bousculer pour en obtenir les meilleurs morceaux. Mais chacun attrapait ce qui lui était offert comme si c'était un dû et aussitôt y enfonçait les dents. Le mendiant se dit que ces hommes, ces femmes ressemblaient à des loups.

Qu'est-ce qui le réveilla ? Qui le sait ? Alors que le soir était très avancé, que flambeaux et chandelles avaient été renouvelés, l'homme maigre sursauta, se dressa d'un coup, le nez en l'air, humant le fumet des sangliers et du gibier. Il se mit sur ses pieds, bouscula ceux qui lui barraient le passage, obtint de haute lutte un lièvre rôti, avant de revenir s'asseoir auprès du mendiant avec un soupir de satisfaction.

— Faut prendre ce qu'il y a à prendre, hein ?

Le mendiant hocha amicalement la tête et demanda :

— Quel est ton nom ?

— J'en ai eu un, celui que mes parents m'ont donné. Je l'ai oublié. Maintenant, on m'appelle Mangemort.

Il planta ses dents dans le flanc du lièvre rôti.

— Et je te le prouve : je vais dévorer jusqu'à l'os

ce petit gentil lapin, qui ne m'a rien fait, mais me nourrit. Et toi, comment t'appelles-tu ?

— Je ne suis personne, dit le mendiant.

— Mais « personne » a un nom ?

Le mendiant n'eut pas à répondre. Le banquet de la reine, des prétendants et des chevaliers du royaume venait de toucher à sa fin. C'est sur un geste de la reine que le héraut souffla dans son cor. Les gens du peuple cessèrent de grignoter les restes des seigneurs. Un grand silence se fit. Tout le monde comprit que ce qu'on attendait, ce qu'on était venu voir, le concours d'archers, allait commencer.

La reine se leva. Son fils, Dorin, l'imita. Elle dit :

— La coutume est la loi. La loi est la coutume. Le meilleur archer du royaume sera...

Elle hésita. Dorin lui prit la main et la pressa.

— ... sera le nouveau souverain de Trèbe. Qu'on apporte les arcs !

Tandis qu'elle se rasseyait et que son fils lui parlait à l'oreille, sept varlets entrèrent dans la salle, chacun porteur d'un arc et d'un carquois de sept flèches. Malangrenant fut le premier à quitter sa place à la table et à sauter au bas de l'estrade. Avec un petit sourire en coin, il s'approcha des varlets, examina suspicieusement les arcs, les flèches, se tourna enfin vers la reine :

— Vous nous avez, Hélène, choisi des armes de géant.

— Je me suis soumise à la coutume, dit la reine. Chaque arc doit être de la même taille que celui du roi Ban, qu'il tenait de ses ancêtres.

— Je comprends, répondit Malangrenant. Mais puis-je voir cet arc ?

— L'arc de Ban a été taillé dans le bois d'un vieux chêne sous lequel Joseph d'Arimathie, en route pour Logres et transportant le Graal, s'est reposé, il y a plus de quatre cents ans. Les arcs des prétendants n'en sont que des copies.

— Eh bien, je veux voir de mes propres yeux l'original. L'arc primordial, si je puis dire.

— À votre aise.

La reine fit un geste vers son fils. Dorin, aussitôt, claqua dans ses mains. Deux varlets — qui s'étaient jusqu'alors tenus dans l'ombre derrière la table du banquet — s'avancèrent. Ils portaient un arc d'un bois noirci et presque lignifié par le temps, plus grand que le plus grand des hommes. D'un autre geste, la reine leur ordonna de l'apporter à Malangrenant.

Lequel cessa de sourire quand l'arme lui fut donnée. L'arc de Ban était trop lourd à sa main. Comme si les siècles eux-mêmes et toute la lignée de Ban pesaient ensemble de tout leur poids de tradition, de toute la légitimité réclamée de celui qui voudrait s'en prétendre le nouveau possesseur.

Malangrenant rendit l'arc aux varlets. Il haussa les épaules.

— Ce n'est plus un arc. Ce n'est plus du chêne, mais de la pierre. Personne ne pourrait tirer une flèche avec… *ça*.

— Acceptez-vous le défi ? lui demanda la reine.

— Bien mieux, bien davantage : je le veux, je le réclame !

— Très bien.

D'un ample geste des deux mains, la reine fit lever les cinq autres prétendants. Ils descendirent de l'estrade. Tout en faisant mine de plaisanter, ils s'approchèrent des varlets. Ils semblaient très nerveux.

— Choisissez votre arme ! leur intima la reine.

Malangrenant se décida le premier. Les autres, après quelques échanges de répliques qui se voulaient humoristiques, finirent par faire leur choix à leur tour. La reine leva la main, paume ouverte devant elle : le héraut sonna du cor.

— Nous sommes ici, déclara-t-elle, pour un Jugement de Dieu ! La coutume et la loi de Bénoïc ont dit : le meilleur des archers sera le nouveau seigneur du royaume ! Je dis, en ma qualité de reine et régente : « Obéissez à la coutume et à la loi, obéissez à Ban et ses ancêtres, vous qui voulez son règne ! »

Malangrenant et les cinq autres prétendants se déployèrent, un arc à la main, face aux cibles de paille tressée. À l'aide d'un long pinceau d'ajoncs, un varlet traça sur les dalles de la salle une ligne couleur de sang. Les six archers se placèrent derrière cette ligne, à cent coudées des cibles. Malangrenant, quant à lui, se plaça face à la sixième d'entre elles.

Les gens du peuple observaient en silence ces six hommes, dont l'un, quand sept flèches auraient été tirées, deviendrait leur seigneur et maître. Ils n'avaient aucune préférence. Sinon que Malangrenant perde, qui leur semblait le pire seigneur et maître possible. Mais aussi, par malheur, le plus probable.

Les varlets s'alignèrent derrière les prétendants. Ils portaient les carquois. Les prétendants vinrent y choisir la première des sept flèches du défi. Malangrenant fit longtemps tourner la sienne entre ses doigts, s'assurant de son équilibre et vérifiant son empennage.

— Prêts ? demanda la reine.

— Nous sommes prêts ! s'écria-t-il. Le défi nous attend !

Il ricana, examina ses cinq adversaires et ajouta :

— C'est le vainqueur qui vous parle, Hélène ! Je serai votre roi, vous serez mon épouse ! Préparez-vous à ce bonheur !

Il rit encore et engagea la première flèche sur son arme.

— Attendez ! s'écria la reine.

Les prétendants, un pied sur la ligne rouge sang, une flèche dans une main, l'arc dans l'autre, suspendirent tout autre geste.

— Il reste la septième cible, reprit-elle. La cible de celui, noble ou pas, qui osera !

Il y eut un long silence dans la salle. Les hommes s'entre-regardaient.

— Qui ose ? demanda la reine.

Tous baissèrent les yeux. Aucun, à part certains braconniers, n'avait jamais tenu un arc.

La reine répéta, plus fort :

— Qui ose ?

Dorin se redressa tout à coup, long, mince et fragile. Il ouvrit la bouche et, alors que sur ses lèvres se formait un mot : « J'ose ! », on entendit jaillir, parmi les miséreux, cette double affirmation :

— Je veux une faveur et j'ose !

C'était le mendiant. Il clopina jusqu'au milieu de la salle, appuyé sur un bâton.

La reine prit la main de son fils. Dorin, furieux

que ce mendiant lui ait pris sa place à la septième cible, chuchota à l'oreille de sa mère :

— C'est un homme de Malangrenant. Il est là pour m'empêcher de remporter le défi.

— Nous allons voir.

Lentement, tranquillement, la reine contourna la table du banquet.

— Qui es-tu, mendiant, pour relever ce défi ? Le vin que mes varlets t'ont servi t'a-t-il exalté ?

— Je ne bois pas de vin, Madame.

— Sais-tu au moins te servir d'un arc ?

— Je saurai me servir de... celui-ci !

Il tendit le doigt, désignant l'arc de Ban que portaient deux varlets.

Malangrenant et les prétendants éclatèrent de rire, bientôt imités par tout le public. La seule idée que ce bonhomme bossu, boiteux, difforme prenne en main l'arc de Ban était la chose la plus drôle qu'ils puissent imaginer !

— Impossible, dit la reine. Nul ne peut tirer avec cet arc. Tu le sais. Le temps a changé son bois en pierre.

— Je sais ce que nous fait le temps, répliqua le mendiant. Longtemps mes os ont été solides et souples comme le bois de chêne. Désormais, ils sont durs et friables comme la pierre des falaises. Cet arc me ressemble. Nous saurons nous entendre. Ou nous nous briserons ensemble.

— Tu as vu Malangrenant, tout à l'heure. L'arme était trop lourde pour lui. Comment toi, vieillard, pourrais-tu t'en servir ?

— La coutume m'interdit-elle d'essayer ?

La reine se tut un instant. Elle chercha le regard de

son fils Dorin, le croisa. Il inclina imperceptiblement sa belle tête aux yeux d'azur et aux cheveux de feu qui couve. Alors elle déclara :

— Nous ferons selon ton gré. La coutume te le permet. Donc je te le permets.

Une rumeur d'amusement parcourut la foule. Malangrenant et les autres prétendants rirent de plus belle.

— Il va se casser en deux, le vieux gueux ! Il va tomber en poussière !

— Je te le permets à une condition, ajouta la reine. Si l'arc de Ban se révèle trop lourd et son bois trop ferme pour tes forces, tu te retireras du concours et je poserai à nouveau la question : « Qui ose ? »

Le mendiant se massa les reins.

— Vous n'aurez pas à poser cette question, dit-il paisiblement.

Les rires de la foule et des prétendants devinrent si moqueurs, et si insultantes les remarques qu'ils échangèrent, que la reine dut élever les mains pour réclamer le silence.

— Nous devons suivre la coutume, dit-elle. Tente ta chance, vieil homme.

Après avoir incliné la tête en signe de remerciement, le mendiant claudiqua jusqu'aux deux varlets qui lui tendirent l'arc de Ban. Il se pencha péniblement, déposa le bâton de sa canne sur les dalles, se redressa avec difficulté, puis avança les mains vers l'arme primordiale. Avec une moue de gêne, les varlets la déposèrent sur ses paumes noires de crasse.

— Ne te casse pas en deux sous le poids du défi ! s'exclama Malangrenant.

Quelques rires fusèrent, qui s'éteignirent aussitôt : les mains du mendiant n'avaient pas tremblé. Elles soutenaient les quatre coudées de bois lignifié comme un fétu de paille. Bossu, boitant, il se dirigea vers la ligne rouge où étaient alignés les six prétendants. Il posa une extrémité de l'arc au sol, après y avoir noué la première boucle de la corde. L'arme, debout, le dépassait de plus d'une coudée. Il mit sa main gauche sur le sommet de l'arc. Et il y appuya.

À la stupéfaction générale, l'épais bois de pierre du vieux chêne plia. Inexorablement. Sans que le mendiant parût accomplir le moindre effort. Un murmure de surprise et d'admiration frissonna sur la foule. Quand le mendiant, comme s'il se jouait de l'épreuve, enroula la seconde boucle de la corde à l'extrémité supérieure de l'arme, la rumeur se fit plus forte — et quelques-uns applaudirent. Cela fait, le mendiant se frotta le dos et se tourna vers l'estrade.

— Ai-je passé l'épreuve avec succès, Madame? demanda-t-il d'une voix bénigne.

Avant que la reine ait pu répondre, Malangrenant intervint :

— Elle est ta reine, espèce de gueux! Qu'est-ce qui te permet de lui parler comme seul un chevalier en aurait le droit?

Il s'avança, menaçant et dépité, vers le mendiant.

— Et que caches-tu sous ton déguisement?

Il tendit la main pour lui arracher son capuchon. Le mendiant l'agrippa par le poignet et l'obligea à reculer. Malangrenant tenta de résister, mais le gueux était trop fort. Il rompit, le mendiant le relâcha, il fit deux pas en arrière, le souffle court.

— Madame, se plaignit-il en se tournant vers la reine, pouvez-vous accepter la simple éventualité que... que ce... ce vagabond, ce vieillard gouverne Bénoïc ?

La reine passa son bras autour des épaules de Dorin.

— Je me plie à la coutume et à la loi. Au Jugement de Dieu. Qui es-tu, Malangrenant, pour t'y opposer ?

Ne contenant plus sa fureur, Malangrenant retira le gant de sa main gauche et le jeta aux pieds du mendiant.

— Je dis, ici, devant tous, que je tuerai l'imposteur !

— Prends garde, répliqua le mendiant, de sa voix éraillée. Il y a ici, devant tous, six imposteurs. Tous mourront.

La reine éleva les mains.

— Cela suffit ! Que le concours d'archers commence ! Dieu est témoin !

Le héraut sonna du cor, couvrant les dernières récriminations de Malangrenant.

Les sept concurrents, les sept rivaux se disposèrent derrière la ligne. Et c'était étrange de voir s'affronter ces six jeunes hommes magnifiquement vêtus et ce mendiant, ce gueux, tordu et courbé, enveloppé dans sa houppelande crasseuse.

La reine leva la main droite. Le héraut souffla dans son cor.

Première flèche.

Le premier prétendant tira. Son trait frôla la cible, tomba dans la cheminée, où il flamba, sous les huées du public. Le deuxième parvint à ficher sa flèche à un empan du cœur de la cible ; content de lui-même, il salua la foule qui l'applaudit vaguement. Les troisième et quatrième concurrents touchèrent le bord extérieur du cercle. Le cinquième archer — le plus jeune et le plus maigre —, personne ne croyait en ses chances. Lui-même ne devait guère y croire davantage : il tremblait. Un cri de dérision dans l'assistance lui fit lâcher sa flèche : elle se planta par miracle à deux doigts du centre. On l'acclama en riant.

Vint le tour de Malangrenant. Un sourire malin aux lèvres, il considéra ses rivaux, un à un — sauf le mendiant. Puis il tendit son arc, visa et ouvrit les doigts sur la corde. La flèche, toute vibrante, atteignit le centre exact de la cible. Il salua alentour, sans se soucier du peu de soutien et de succès populaires qu'il obtenait. Il se tourna, une main sur la hanche, vers le mendiant.

— Égaie-nous, lui dit-il.

Le gueux plaça tranquillement sa flèche sur la corde de l'arc de Ban. Qu'il tendit au-delà de l'extrême limite de souplesse qu'on était en droit d'attendre d'un si vieil arc, d'un si vieux bois.

— Montre-nous tes talents !

Malangrenant croyait le déconcentrer. Il eut tort. Le mendiant dit simplement :

— Vois.

Il relâcha la corde, la flèche, la tension du vieil arc de chêne. Le trait atteignit le centre même de la septième cible. Avec une telle puissance qu'elle la transperça et s'y enfonça jusqu'à l'empenne.

Le public poussa des cris d'admiration, applaudit.

On vit l'homme maigre, Mangemort, se porter à l'avant de la foule, et hurler :

— Vas-y ! Vas-y, Personne !

Et la foule reprit en antienne :

— Personne ! Personne ! Personne !

Le cor du héraut retentit. Les clameurs du peuple s'apaisèrent. La reine dit :

— Premier archer, tu as perdu, retire-toi ! Que le concours reprenne !

À la deuxième épreuve, le cinquième archer, qui tremblait de plus belle, fut éliminé. Après la troisième et la quatrième, il ne resta plus en lice que Malangrenant, le mendiant et un jeune homme tout vêtu de chausses rouges et d'une chemise brodée d'argent.

Puis, à l'issue de la cinquième épreuve — lorsque le jeune homme eut fiché son trait trop loin du centre de la cible —, il n'y eut plus face à face que Malangrenant et le mendiant. Il leur restait à chacun deux flèches.

Malangrenant devait tirer le premier. Il se mit en place, le pied gauche au bord de la ligne de sang. Il tendit la corde de l'arc contre sa poitrine, retint son souffle — et tous, dans la salle, le retinrent aussi. Enfin, d'un coup sec, il ouvrit les doigts. La flèche siffla dans l'air. Elle se planta, vibrante, à la largeur d'un demi-doigt du but parfait. Les six traits de Malangrenant formaient comme un très étroit bouquet au milieu du cercle de paille. Il semblait impossible de mieux faire.

Le mendiant alors prit place derrière la ligne. Pas plus que les fois précédentes il ne montra de fatigue, ne trembla en tendant l'énorme arc de Ban.

À peine prit-il le temps de viser. D'un geste à la fois vif et désinvolte, il relâcha la corde. La flèche parut transpercer si vite l'espace que personne n'en vit la course en vol. Puis il y eut un bref craquement sec et toute l'assistance poussa un cri de stupéfaction : la pointe de la sixième flèche avait découpé le bois de la première, la séparant en deux moitiés sur toute sa longueur avant de se ficher au centre exact de la cible.

La surprise générale devant l'exploit se changea en une clameur d'enthousiasme. On applaudit, on hurla, on scanda le nom étrange du mendiant, à la suite de Mangemort : « Personne ! Per-sonne ! Personne ! » Le visage déformé par le dépit et la haine, Malangrenant rejoignit les cinq autres prétendants.

La reine éleva les mains pour réclamer encore une fois le silence.

— L'épreuve a rendu son verdict !

— Non ! cria le prétendant aux chausses rouges. Jamais un gueux ne gouvernera Bénoïc !

— Jamais ! reprirent les autres prétendants, tirant leurs épées.

— Jamais ! conclut Malangrenant.

Il engagea sa dernière flèche sur son arc.

Quand il comprit leurs intentions et avant que sa mère ait pu le retenir, le jeune Dorin bondit pardessus la table du banquet, l'épée à la main.

— Félonie ! s'exclama-t-il.

Et il se précipita dans la salle, l'arme haute.

Cela suffit-il à renverser la situation ? Ou le mendiant n'aurait-il eu besoin d'aucune aide ? Nul ne le saura jamais.

Tout à coup, le gueux, l'affreux, le boiteux et

bossu se redressa de toute sa taille. Il ne fut plus difforme. Il arracha sa houppelande grossière, apparut en simple cotte blanche marquée à l'épaule d'une bande vermeille. Sous ses cheveux grisonnants, c'était un homme de haute et large stature, au torse et aux membres puissants qui se jetait dans la bataille.

C'était Lancelot.

Effaré, Malangrenant eut un pas de recul. Hésitation d'assez de temps pour que Lancelot arme son arc et décoche sa flèche. Elle traversa la gorge de Malangrenant de part en part.

Cependant, le jeune Dorin s'était jeté sur les deux prétendants les plus proches. En quelques coups d'épée, il les désarma et les tua à leur tour. Les trois autres tentèrent de s'enfuir. Mais la foule leur barra la route, les repoussa vers Lancelot qui s'avançait à leur rencontre. Ils n'avaient plus d'autre choix que se battre. Ils dégainèrent leurs épées en tremblant.

Lancelot ne prit pas la peine de tirer la dague qu'il portait à la ceinture. Se servant de l'arc de Ban comme d'une masse d'armes, il fit voler leurs épées comme s'il s'était agi de vulgaires bâtons et les assomma tous les trois. L'affaire n'avait duré que quelques instants.

5
La révélation

Dans la salle du château de Trèbe, la foule manifesta longtemps une liesse féroce. On ne savait si elle fêtait l'avènement de ce guerrier inconnu ou célébrait le sang versé et la mort de Malangrenant et des prétendants honnis.

Lancelot, quant à lui, ne montra aucun signe de joie ni de victoire. Apparemment insensible et sourd aux acclamations, l'œil étincelant dans son visage noir de poussière, il se dirigea d'un pas ferme vers l'estrade. Les chevaliers et leurs dames, dont le premier mouvement aurait été de le féliciter, s'écartèrent avec crainte quand il sauta souplement près de la table du banquet. Ce visage, et ces mains — sales, dégoûtants, noirs comme des attributs démoniaques... Déjà, au fond d'eux-mêmes, ils se posaient la question : n'avaient-ils échappé à l'éventuel règne de Malangrenant que pour tomber sous le joug d'un homme bien plus dangereux et tyrannique ?

Lancelot parut ne pas les voir. Il n'avait d'yeux que pour la reine Hélène, en face de lui. Elle aussi, malgré son courage, était inquiète. Pâle, elle se raidit sous le regard du chevalier et fit front.

— Vous êtes le vainqueur, dit-elle. Je vous félicite. Demain, Monsieur, nous nous verrons pour parler des affaires du royaume, puisque, selon la loi et la coutume, vous en êtes désormais le roi.

Lancelot jeta l'arc de Ban sur la table. Il s'y brisa, telle une pierre, en plusieurs morceaux.

— J'ignore ce que nous ferons demain, Madame. Vous l'avez dit, je suis à présent votre roi. En conséquence, vous êtes ma reine.

Hélène pâlit davantage. Elle porta la main à sa poitrine.

— Dois-je croire, Monsieur... ?

Lancelot saisit un grand broc et en versa l'eau claire dans un vase. Il y trempa les mains, qu'il entrefrotta vigoureusement.

— Vous avez bien compris, Madame. Voyez : je fais mes ablutions, puis nous monterons à la chambre royale.

— Voyons, Monsieur, vous ne pouvez... C'est indigne ! protesta l'un des chevaliers.

Lancelot se tourna vers lui. Il lui suffit d'un regard pour lui faire détourner les yeux, puis baisser la tête. Lancelot prit un autre broc, se le versa sur lefront en riant de plaisir, se débarbouilla la figure, riant toujours, par provocation. La beauté de son visage, marqué de fines rides, fit murmurer les dames. Il y avait longtemps que Lancelot n'était plus sensible à ce genre de vanité. Il n'en tint aucun compte.

— Hélène, dit-il à la reine en s'essuyant les joues et la bouche d'un large revers de manche, nous montons à présent.

D'abord elle parut ne pas vouloir obéir.

— Vous ne vous êtes pas présenté, Monsieur. Quel est votre nom ?

— Vous l'avez entendu : je ne suis personne. Vous connaîtrez mon nom quand le moment sera venu.

Il lui tendit, lui *imposa* la main, avec une violence à peine contenue. Elle ferma les paupières, soupira et se dirigea lentement vers l'escalier, où Lancelot alla pour la rejoindre.

À ce moment, une mince silhouette rousse bondit sur l'estrade, devant lui.

— Vous êtes un grand archer, un fier combattant et sans doute notre nouveau roi ! s'écria Dorin, tout vibrant de colère. Mais vous êtes un ignoble rustre, Monsieur !

Pour la première fois, Lancelot esquissa un léger sourire.

— C'est toi qui es venu à mon aide, tout à l'heure ? Je ne t'en remercie pas, car je n'avais pas besoin de toi, varlet.

— Je n'ai que faire de votre gratitude ! Je ne rends de comptes qu'à ma conscience et à Dieu ! Et je ne suis pas varlet, je suis Dorin, prince de Trèbe et enfant de Claudas et d'Hélène !

Cette fois, Lancelot rit franchement, d'une façon délibérément insultante.

— Si tu es fils de Claudas et si tu lui ressembles, alors ta conscience est muette et coupable...

Sur ces mots, il fit un pas en avant.

— Écarte-toi.

— Je vais vous faire ravaler vos injures !

Rouge de colère et d'humiliation, Dorin leva son épée.

Lancelot le saisit au poignet, serra le poing. Sans paraître faire le moindre effort, il força le jeune homme à lâcher son arme, et le contraignit à se courber, puis à se mettre à genoux. Ensuite, d'une légère poussée du pied, il le renversa au bas de l'estrade. Dorin tomba sur les dalles.

La foule se mit à rire, méchamment.

— Vous riez ?

Lancelot se tourna vers la salle. Menaçant, magnifique dans ses chausses et sa cotte blanches à la ligne vermeille, le visage et les cheveux luisants encore de l'eau qu'il y avait versée, il balaya la foule d'un seul regard.

— Lequel d'entre vous a le courage de Dorin ? demanda-t-il. Lequel ? Lequel d'entre vous va s'opposer à moi ? Qu'il s'avance et qu'il rie à visage découvert ! Toi, Mangemort ? Toi qui as tant d'esprit critique ?

L'homme maigre se fit tout petit au cœur de la foule.

— Qu'est-ce qui lui prend ? grommela-t-il. Je dis ce que je pense, mais ceux dont je me moque ne sont pas censés le savoir... Sinon, où on va ?

— Qui d'autre ? demanda Lancelot. Allez, j'attends ! J'attends du courage !

Le chevalier promena un regard méprisant sur la foule, où tous baissaient la tête ou se détournaient. Dans le silence le plus unanime.

— Voilà le peuple sur lequel je vais régner ? Vous me faites honte. Vous méritiez un Malangrenant.

Cette condamnation prononcée, il rejoignit la reine au pied de l'escalier. Il lui prit la main — qu'il trouva froide et réticente.

— N'ayez pas peur, Madame, lui chuchota-t-il de façon à ce que personne d'autre ne l'entende. Vous avez été l'épouse de Claudas. Rien de pire ne peut vous arriver désormais, n'est-ce pas ?

Elle frémit. Voulut retirer sa main. Il l'agrippa avec plus de force.

— Allons.

La chambre royale était une pièce ronde à mi-hauteur du donjon. Sept meurtrières s'y ouvraient, assez larges pour laisser passer beaucoup de lumière. Elle n'était meublée que d'un lit. Un vaste lit carré, haut sur pieds, entièrement fermé par de lourdes tentures bleues — comme une autre chambre, intime et close, au centre de la chambre de pierre.

Lancelot referma la porte derrière lui. Hélène, toujours aussi pâle, respirait avec difficulté. Il la dévisagea longuement, ironique.

— Vous me paraissez bien nerveuse et craintive, Madame. L'étiez-vous autant le jour de vos noces avec Claudas ?

— Cela ne vous regarde pas.

Il se mit à tourner autour d'elle, lentement, comme un animal sauvage autour de sa proie future.

— Jusque dans les lointaines contrées où j'ai vécu jusqu'à ce jour, on connaissait Claudas. On disait que c'était un traître, un usurpateur et un assassin. Expliquez-moi, Madame, comment et pourquoi on épouse un tel homme ?

Les paupières closes, les bras le long du corps, les poings serrés, Hélène murmura :

— Qui êtes-vous ? Qu'êtes-vous venu faire à Trèbe ? Que voulez-vous ?

— Comprendre. Comprendre, je vous l'ai dit, ce qui vous a fait choisir Claudas, ce traître, cet usurpateur, cet assassin.

— C'est mon secret, répondit-elle dans un souffle.

— Un secret ?

Il l'attrapa par l'épaule, lui fit mal. Elle ouvrit les paupières. Il croyait lire de la peur dans ses yeux : il n'y vit que du défi — mais un défi calme, serein, le défi d'une femme qui ne se soumettra pas à son agresseur. Décontenancé, il la relâcha.

— Confiez-moi ce secret, Madame. Je suis maintenant votre roi et votre époux. Vous ne devez rien me cacher.

— Ce secret m'appartient. Je suis seule à avoir le droit de le connaître... À part mon fils...

— Votre fils ? Vous partagez avec le petit Dorin un secret bien coupable...

— Dorin... Il ne sait rien...

— De qui parlez-vous alors ? Il est pourtant votre fils ?

— Il est... mon enfant. Oui. Mon enfant. Dieu le protège...

— Quel est ce fils, alors, qui partage votre secret ?

Hélène se détourna, fit quelques pas vers l'une des sept larges meurtrières de la chambre. Sept rectangles de nuit s'y découpaient, piquetés d'étoiles.

— Ce fils, je l'ai perdu, dit-elle. Si j'ai épousé Claudas, c'est à cause de lui. *Pour lui.* Et pourtant, depuis quarante ans, je ne l'ai jamais revu. J'ignore même s'il vit encore.

Lancelot se passa la main dans les cheveux. Un

peu d'eau lui mouilla la paume. Il n'y comprenait plus rien.

— Quarante ans ? C'est impossible.

Il prit Hélène aux épaules et la retourna vers lui. Ils s'affrontèrent du regard, où le même bleu intense brillait. Il l'examinait comme un animal.

— Vous mentez. Quel âge a Dorin ? demanda-t-il.

— Seize ans.

— Il est le fils de Claudas ?

— Non ! s'écria la reine. Elle se reprit : Oui... Il est l'enfant de Claudas... Par la moitié de son sang... Mais, quoi que vous puissiez croire, Dorin n'est pas le *fils* de Claudas.

— Voilà un curieux paradoxe : Dorin serait l'enfant de Claudas, et pourtant ne serait pas son fils ? Expliquez-moi : est-il le fils du Diable ?

Hélène s'arracha aux mains de Lancelot et, les larmes aux yeux, se mit à vaguer au milieu de la chambre, comme une folle.

— Dorin est l'enfant de Claudas, répéta-t-elle.

— Et cet autre fils, de quarante ans ? demanda Lancelot. Assez de mensonges ! Vous me racontez des fables ! Vous espérez gagner du temps !

Il l'attrapa par le bras et l'entraîna vers le grand lit carré. Elle se débattit, mais elle n'était pas de force. Il écarta brutalement la tenture, jeta la reine sur la couche.

— Non, dit-elle. Ce n'est pas un mensonge.

Il se pencha, lui plaqua la main sur la gorge. Il se coucha à demi sur elle.

— Vous ne cessez de mentir ! Comment pouvez-vous avoir un fils de quarante ans alors que vous en paraissez vingt-cinq ? C'est lui, le fils du Diable ?

Hélène ferma à nouveau les paupières.

— Le Diable n'a eu qu'un fils en ce monde. On l'appelait Merlin.

— Merlin... ?

— Oui, Merlin, le magicien, l'enchanteur, le grand conseiller d'Uther-Pendragon... Quand j'étais petite fille, toute nouvelle née, il a posé sa main sur ma fontanelle. Il m'a fait le don, non pas de la jeunesse — il n'en a pas le pouvoir —, mais de *l'apparence de la jeunesse.* Je suis une vieille femme. Mais vous ne le voyez pas.

Désemparé, Lancelot recula. La reine se redressa, remit machinalement de l'ordre dans sa chevelure.

— Vous me mentez. Merlin, lui posant la main sur la fontanelle peu après sa naissance, n'a donné l'éternelle jeunesse qu'à une femme, une seule, celle que j'ai aimée.

Hélène ouvrit de grands yeux stupéfaits.

— Vous avez aimé Guenièvre, l'épouse d'Arthur ?

— Comment connaissez-vous son nom ?

— Guenièvre est ma sœur. Ma sœur aînée. Comme Merlin l'avait prédit, qui nous a toujours protégées, nous nous sommes mariées le même jour. Ma sœur Guenièvre a épousé Arthur, roi de Logres. J'ai épousé le roi de Bénoïc, Ban. Je l'ai aimé, il m'a donné un fils, qui nous a été volé au bord du Lac, il y a quarante ans, alors que son père mourait. Je suis entrée au couvent, j'y ai caché mon chagrin et mon deuil. Et puis Claudas — que vous avez raison d'appeler l'usurpateur et l'assassin — a cherché une nouvelle épouse. Il avait répudié la première, qui ne lui donnait pas de fils. Il m'a choisie, parce que j'étais la veuve de Ban, son ancien seigneur. Il est venu m'enlever à mon couvent, à ma solitude, à mon deuil. Claudas ne voulait pas seulement le royaume de mon mari, il voulait aussi le ventre de sa femme. Je n'accorde à personne le droit de prétendre que j'ai eu tort : j'ai fini par accepter. Claudas régnait sur Bénoïc par la contrainte et l'injustice. J'ai pensé obtenir assez d'influence sur lui pour modifier sa politique. Il régnait sur Bénoïc ? Alors je régnerais sur lui. Il me suffisait de lui donner un fils, puisque c'était un fils, un héritier qu'il voulait. Je lui ai fait cet enfant. Il m'en a eu tant de gratitude que, ces seize dernières années — les années qu'a vécu Dorin —, il m'a consultée, écoutée, et il est devenu, sinon un bon roi, en tout cas un roi, je crois, dont ses sujets n'avaient plus à se plaindre.

« Pensez ce que vous voulez de moi. Il est vrai que Claudas a volé la place et le pouvoir de Ban, mon premier époux. Il est vrai qu'il était violent, tyrannique, imprévisible. Mais il est vrai aussi que j'ai su le gouverner, que je l'avais épousé dans ce but, et que le peuple de Bénoïc — que vous avez tort de mépriser — a connu dès lors une vie moins difficile. J'aurais pu tuer Claudas dans son sommeil. J'y ai songé durant toutes les premières semaines de notre union. Mais à quoi bon ? La loi et la coutume m'auraient contrainte à organiser un concours d'archers pour déterminer qui serait le nouveau roi. J'ai attendu que Claudas meure de sa belle mort et que mon enfant ait assez grandi pour affronter l'épreuve, et en sortir victorieux. Votre arrivée, ce soir, a mis à bas en un instant les années et les années où j'ai souffert dans le seul but que Dorin obtienne le droit de dire : "J'ose" et vainque Malangrenant...

Désemparé, désespéré, Lancelot tournoya violemment sur lui-même, puis frappa du poing, à coups répétés, dans le mur de pierres.

— Vous mentez ! Vous mentez ! VOUS MENTEZ !

Les phalanges en sang, il tomba à genoux.

Hélène s'approcha, se pencha sur lui.

— Depuis sa plus tendre enfance, Dorin, en secret, s'entraîne au tir à l'arc. Quand, lors de la cérémonie, j'ai demandé : « Qui ose ? », c'était lui qui devait répondre. C'était lui qui devait affronter Malangrenant et les autres. Il les aurait vaincus, j'en suis certaine. Une flèche de Dorin peut trancher l'aile d'une guêpe en plein vol. Pourquoi êtes-vous venu ? Pourquoi l'avez-vous empêché d'accomplir ce pour quoi je l'ai élevé : devenir le roi de Bénoïc ? Qui vous a envoyé ?

Lancelot ne répondit pas. Il pleurait.

*

Le bouvier se rencogna dans un angle du mur, près de l'entrée du donjon. Les gueux, les miséreux, les gens du peuple, les marchands avaient quitté la cour de Trèbe. La nuit était claire. On entendait, au loin, les soldats échanger des plaisanteries.

— Par les dieux et par les druides ! grogna le bouvier.

Il ferma les yeux, se concentra. Rien n'arriva. Il se tâta les flancs : eh oui, il était aussi gras qu'un instant auparavant...

— C'est pas possible, grommela-t-il. Je suis quand même le plus grand magicien sur terre...

Il posa sa main sur ses yeux, plongea « spirituellement » en lui-même et répéta :

— Par les dieux et par les druides !

Une espèce de frémissement électrique lui parcourut le corps.

— Ah, enfin...

Il reprit son souffle, contracta les paupières et psalmodia :

— Par les dieux de l'ancien monde et par les druides et leur sagesse, par le Diable et par le Graal, rendez-moi à moi-même !

L'électricité fit alors plus que frémir : elle le tétanisa. Bouche bée, frappé au cœur, il tomba sur les fesses. Pendant un moment, il fut agité de tremblements, son crâne heurtant en cadence la pierre du mur. Ce qui l'étourdit à moitié.

Quand il rouvrit les yeux, il regarda d'abord ses jambes, puis ses mains. Oui, ses jambes étaient à nouveau longues et maigres — et les chausses du bouvier y flottaient ridiculement. Oui, ses mains, longues et maigres aussi, ne ressemblaient plus aux petites saucisses qui tenaient lieu de doigts au bouvier dont il avait tenu le rôle. Content de lui-même — « Mes pouvoirs marchent encore » —, il se remit debout.

Il faillit tomber en avant. D'une main, il se rattrapa au mur, in extremis.

— Par les dieux et les druides, qu'est-ce qui se passe ?

Il examina ses pieds, puis se tâta le ventre, et il sut « ce qui se passait ». Sous l'effet de la formule magique, ses jambes avaient grandi, certes, mais pas ses pieds, qui étaient restés tout petits et gras comme ceux du bouvier. Et si ses mains aussi avaient repris leur forme originale — minces, noueuses et élégantes —, ce n'était pas le cas de ses bras, toujours aussi courts et potelés que lorsqu'il était dans son rôle de bouvier. Ne parlons pas de son ventre et de son torse : c'étaient ceux d'un nain obèse. Quant à sa tête, il la palpa, la trouva bien trop ronde, se demanda quelle était la formule magique pour faire apparaître un miroir, « Miroir, miroir, dis-moi si je suis toujours beau », et, devant son propre reflet, dut admettre, à regret, qu'il vivait ses derniers temps de magicien.

— Cul de druide, se dit-il (ce qui était le pire « gros mot » d'un magicien), j'ai l'air d'un crapaud constipé.

En effet, avec ses grandes mains maigres, ses longues jambes, sa grosse tête et son gros ventre, il ressemblait à un batracien gigantesque.

Ce qui — car il ne manquait pas d'humour à l'égard de lui-même — aurait pu l'amuser. Mais il n'y vit que ce que cela révélait : il avait de moins en moins de pouvoirs magiques, et n'était même plus capable de changer correctement d'apparence. Or, quoi qu'il lui arrive, il lui fallait intervenir. Il était là pour ça.

— Merci, le Diable, mon père, grogna-t-il entre ses dents. Grâce à vous, je ne m'ennuierai jamais : quand le monde court à sa perte, il faut toujours que j'intervienne. À croire que c'est vous, au fond, qui voulez le sauver, ce monde...

Merlin — car, bien sûr, c'était lui — se mit à remonter l'escalier du donjon, maladroit dans son nouveau corps. « Pourvu que j'arrive à temps », songea-t-il.

*

— Pourquoi pleures-tu ? demanda la reine. Réponds-moi.

Lancelot se remit péniblement debout. D'un revers de main, il essuya ses larmes.

— Pardonnez-moi, murmura-t-il. Je ne voulais pas... Je ne savais pas...

Il gémit :

— Dieu, Lui, ne me pardonnera pas...

Hélène lui toucha doucement l'épaule.

— Expliquez-moi.

Il hésita longuement avant d'oser la fixer dans les yeux. Elle vit qu'il avait perdu toute brutalité — et presque tout courage.

— Madame, dit-il d'une voix basse, je ne remercierai jamais assez Dieu de vous avoir donné la force d'âme de me résister... J'ai failli commettre l'irréparable...

— Je ne comprends pas.

Avec maladresse, il lui prit les mains et les serra contre sa propre poitrine. Elle sentit qu'il tremblait.

— Madame, ce fils... ce fils qu'il y a quarante ans on vous a volé... c'était moi...

— Vous ?

D'un mouvement convulsif, la reine arracha ses mains à celles de Lancelot. Elle chancela.

— Vous ? balbutia-t-elle.

— Mon nom est Lancelot. Lancelot du Lac, car j'ai grandi dans le Domaine de la fée Viviane. Elle m'a élevé comme son enfant et m'a enseigné l'art de chevalerie.

— Et vous êtes... tu es revenu ici...

— Pour me venger. Venger mon père. Je ne savais pas que...

Il n'en dit pas davantage. Hélène s'était approchée de lui : elle le contemplait avec une extraordinaire émotion. Enfin, elle eut ce geste maternel de lui caresser la joue. Il s'y abandonna un instant, puis, dans un sursaut de pudeur, il s'écarta.

— Pardonnez-moi, Madame, dit-il. Je... Je croyais venir ici pour accomplir une dernière mission sacrée. Une fois encore, ma violence et mon orgueil m'ont égaré l'esprit.

— Tu ne pouvais pas savoir...

Il grimaça de colère contre lui-même.

— J'aurais dû. Mon cœur aurait dû parler.

— Peu importe ce qui est arrivé. L'important, c'est que tu sois là, que nous nous soyons retrouvés. Bénoïc avait besoin d'un nouveau roi. La Providence t'a envoyé. Quel meilleur souverain pour le royaume que le fils de Ban ? *Mon* fils ? Tout t'est pardonné, bien sûr.

— Vous êtes douce et magnanime, Madame. J'accepte votre pardon. Mais je n'ai pas le droit de me pardonner à moi-même.

Il inclina brusquement la tête et se dirigea vers la porte.

— Lancelot ! Que fais-tu ?

— Je m'en vais. Je me retire hors du monde, je n'y ai plus ma place. Adieu.

— Mon fils !

Hélène se précipita vers lui. Mais déjà il avait franchi la porte. Il la referma avant qu'elle l'ait rejoint, et disparut dans l'escalier.

*

Au détour du premier palier, il se heurta à une grande silhouette qui montait. Merlin tomba à la renverse, se cognant la tête contre le mur.

— Par le cul des druides ! grogna-t-il. Vous ne pouvez pas faire attention ? C'est déjà difficile de tenir debout avec ce ventre de crapaud !

Cette voix...

Éberlué, Lancelot se courba vers le grand corps affalé sur le sol.

— Merlin ?

— Ah ! C'est toi ! Aide-moi donc à me relever, au lieu de rester là, comme un crétin, la bouche bée...

Lancelot le prit par la main. Merlin, empêtré dans ses jambes trop longues pour son torse trop court et trop rond, finit par réussir à se remettre sur pied.

— Où cours-tu, comme ça ? demanda-t-il. Puis il se frappa le front : Ne me dis pas que tu viens de la chambre de la reine ? Ne me dis pas que j'arrive trop tard ? Ne me dis pas que tu... que tu... Oh, non...

— Rassurez-vous, répondit simplement Lancelot.

— Tu as... ? Alors, tu as appris ? Tu sais ?

— Oui, la reine m'a parlé de ce fils qu'on lui a volé il y a quarante ans.

Merlin poussa un gros soupir de soulagement.

— Eh bien ! Elle nous a évité le pire... Mais alors, dis-moi, te voici roi de Bénoïc ? Tout est bien qui finit bien !

Il passa amicalement son bras sous celui du chevalier.

— Tu vas avoir besoin d'un conseiller. Quant à moi, j'ai besoin d'un endroit sûr et tranquille pour achever ma carrière de magicien et de conseiller particulier des rois. Bien compromise, je le reconnais... Regarde-moi : je perds peu à peu tous mes pouvoirs, même les plus simples... Quel monde... Il va bien me falloir quinze jours de profond sommeil pour retrouver l'énergie de reprendre une apparence moins... grotesque.

— Merlin, restez ici tant que vous voudrez. Je pense qu'Hélène vous accueillera avec amitié.

Il dégagea son bras, doucement.

— Disons-nous adieu.

— Adieu ? Pourquoi, adieu ?

— J'ai perdu la grâce divine qui m'autorisait à me prétendre chevalier. Je m'en vais. Je me retire hors du monde.

— Tu es fou ? Rends-toi à l'évidence : le cercle de ton destin est bouclé. Tu es rentré au royaume de ton père ! « Tout est bien qui finit bien », je te l'ai dit !

Lancelot se remit à descendre les marches.

— Ma décision est prise. Accordez-moi la liberté de briser ce cercle.

— Lancelot, reviens ! Lancelot ! Où vas-tu ?

— Dans la forêt. À Brocéliande.

— Reviens ! C'est le pire endroit où aller !

Mais Lancelot avait disparu dans l'obscurité de l'escalier. Merlin eut un geste si rageur et brutal qu'il le déséquilibra à moitié.

— Tu as tort ! cria-t-il en s'appuyant au mur pour ne pas tomber par terre. C'est encore et toujours ton orgueil qui te commande ! Tu verras ! Tu crois te retirer du monde, mais le monde, lui, ne te laissera pas en paix !

Sa voix résonnait dans l'escalier en pure perte.

Soudain triste et las, Merlin s'assit brusquement en tailleur. De sa trop longue main palmée, il se caressa un genou incroyablement cagneux.

— Brocéliande... L'imbécile... Là où tous les morts l'attendent...

11

La forêt

1

Au long du fleuve

Dès le début du voyage, certains signes auraient dû l'alerter. Mais Lancelot ne les aperçut pas. Il parcourait les chemins sans rien voir autour de lui. Son cœur était sombre et froid.

Aux écuries de Trèbe, les écuyers l'avaient acclamé à son entrée, ne pouvant se douter que leur joie et leur admiration le blessaient, car il s'en estimait indigne. Croyant qu'il venait choisir un cheval, ils se disputèrent l'honneur de lui montrer les plus hauts destriers, les palefrois les plus majestueux, les roncins les plus solides. Mais il les ignora, alla tout au fond de l'écurie et dit :

— Voilà ma monture.

Il avait choisi un âne, un petit âne efflanqué aux yeux tristes. Les écuyers se mirent à rire, pensant qu'il plaisantait. Mais quand il s'approcha de l'animal — qui, très souvent battu, eut un sursaut de crainte —, qu'il se pencha pour ramasser une poignée de paille et qu'il se mit à le bouchonner, ils se regardèrent, consternés. L'un d'eux vint près de Lancelot.

— Monsieur, laissez-moi nettoyer cette bête à votre place.

Le chevalier le repoussa avec douceur.

— Un âne a porté le Christ Notre Seigneur quand il entra en triomphe dans Jérusalem. Crois-tu que Jésus ne le nettoyait pas lui-même ?

L'écuyer, effaré, s'écarta. Il regarda ses compagnons et, haussant les épaules, se toucha la tempe, comme pour dire : « Cet homme est fou. »

Avec les mêmes gestes d'une tendresse exagérée, Lancelot harnacha l'âne. Un autre écuyer lui apporta une selle légère, dont le chevalier ne voulut pas. Il plia une simple couverture de laine qu'il étendit sur l'échine de l'animal. Après quoi, il prit les rênes en main et sortit dans la cour. Les écuyers le suivaient à distance, dans la luminescence grisâtre de l'aube proche. Ce n'est que parvenu au pont-levis que Lancelot grimpa sur l'âne. Il claqua la langue.

C'est ainsi que les écuyers furent les derniers à voir Lancelot lorsqu'il quitta Trèbe à jamais. L'ombre d'un homme chevauchant un petit âne maigre.

Son chemin le conduisait vers l'ouest. Vers le couchant. Vers l'immense forêt de Bretagne. Brocéliande. Le sanctuaire où se retirent les ermites, où les druides de l'ancienne religion allaient puiser la sagesse et la magie. La forêt dont les mystères avaient été toujours jalousement gardés par ceux qui les avaient affrontés sans jamais les élucider.

Lancelot et son âne, dès le soir du premier jour, avaient rejoint la rive de la Loire. C'était le plus large et le plus agréable des fleuves que Lancelot ait jamais vus. La chaleur de l'été commençant avait fait fleurir ses bords et y avait attiré de nombreux oiseaux. Des hardes de cerfs et de sangliers venaient s'y abreuver, en toute tranquillité. Les environs du fleuve et l'eau bleu-vert de la Loire elle-même semblaient composer une image du jardin d'Éden, riche, paisible et giboyeuse, baignée d'une lumière à la fois douce et vive, paisible et animée.

Lancelot ne voyait rien de tout cela. Enfermé en lui-même, il avançait, tantôt sur le dos du petit âne, tantôt (et le plus souvent) marchant à son côté. De la Loire il ne savait et ne voulait savoir qu'une chose : s'il en suivait le cours, il parviendrait au pays de Bretagne, où s'étendait la forêt de Brocéliande, son seul but.

★

— Ce n'est pas possible... Pourquoi personne ne l'a-t-il reconnu ? Pas même vous...

Au matin, Hélène avait convoqué Dorin dans sa chambre. Le jeune prince s'y était rendu les poings et les mâchoires serrés, prêt à s'affronter au vainqueur de la veille, ce guerrier dont la force et la lucidité dans le combat l'avaient impressionné, cet homme dont les manières méprisantes et brutales l'avaient ulcéré. Mais dans la chambre de sa mère, quand il y entra, il n'y avait qu'elle. Elle l'avait fait asseoir auprès d'elle sur le lit et lui avait raconté l'essentiel de sa conversation avec Lancelot.

— Ainsi, il est mon frère ? Lui, le plus grand

chevalier du monde ? Lui dont j'ai lu et écouté tous les exploits depuis que je suis enfant ?

— Oui, murmura la reine, quelle ironie... Je t'ai fait lire et écouter ses exploits depuis ta plus tendre enfance. Je t'ai formé comme j'estimais qu'un fils devait l'être sans savoir que ton modèle, notre modèle était lui-même mon propre fils...

— N'en soyez pas triste, ma mère. Vous avez fait ce qui devait l'être.

Dorin prit Hélène dans ses bras.

— Nous savons bien, vous et moi, que je n'aurais peut-être pas remporté le concours d'archers. Et, si j'avais gagné, tout nous incite à croire que Malangrenant et les prétendants m'auraient assassiné. Il ne pouvait rien nous arriver de meilleur que ce mendiant qui était Lancelot, votre fils... mon frère.

— Tu as raison, tu as tort ? Je ne sais pas. Quoi qu'il en soit, Bénoïc n'a toujours pas de roi.

— Le royaume a un souverain : il s'appelle Lancelot.

— Il est parti. Il ne régnera pas.

— Vous vous trompez, ma mère : Lancelot règne. Tout le monde l'a vu remporter le concours d'archers et tuer les prétendants. Il a pour lui la loi et la coutume.

Hélène prit Dorin par les épaules.

— Mais il est parti ! Il refuse de jouer son rôle de roi !

— Qui sait qu'il ne veut pas régner ? À part vous ? Il est parti ? La belle affaire ! Il est roi, il agit comme bon lui semble.

— Tu veux dire... ? Je vais mentir ? Prétendre que Lancelot est notre nouveau roi et qu'il règne... ?

— Oui ! Et vous continuerez de gouverner en régente ! Vous l'avez toujours su faire, même quand Claudas, mon père, était vivant...

— Je mentirai.

— Il y a des mensonges nécessaires. Et c'est un mensonge qui ne durera pas.

— Comment cela ?

— Je vais partir sur les traces de Lancelot. Je saurai le convaincre de revenir à Trèbe. S'il est vraiment le chevalier que les légendes racontent, il saura qu'il doit prendre ses responsabilités. Il reviendra à Bénoïc.

— Il ne t'écoutera pas...

— Pourquoi ?

La reine contempla Dorin avec tendresse, puis lui caressa les cheveux.

— Il découvrira la vérité. Nous avons menti si longtemps — seize ans !

— Nous avons menti parce que nous le devions ! N'est-ce pas ? Sans ce mensonge, Claudas vous aurait répudiée. D'ailleurs, nous n'avons menti qu'à Claudas. Dieu connaît aussi bien notre mensonge que ses raisons. Avons-nous jamais été pris en flagrant délit ?

— Non... Mais, surtout lorsque tu étais enfant, j'ai dû batailler chaque jour, chaque heure, à chaque instant, pour cacher la vérité.

— La vérité ? Il n'y en a pas d'autre que celle-ci : je suis Dorin, je surclasse tous les varlets à l'arc, à cheval ou à l'épée — même à la lutte ! Je n'attends plus qu'une chose, ma mère : que Lancelot lui-même me déclare chevalier !

Hélène pâlit.

— Que veux-tu dire ?

— Je vous dis, déclara Dorin, que je quitte cette chambre, que je vais aux écuries, que j'y prends un cheval et que je rejoins Lancelot !

— Écoute-moi...

— Non. Je ne vous écouterai pas. Si Lancelot ne règne pas sur Bénoïc, alors j'y régnerai. Et lui seul peut m'apprendre à être un chevalier et un roi !

— Tu ne seras jamais ni chevalier ni roi ! Tu le sais ! C'est impossible ! s'écria la reine.

— Tout est possible à qui le veut !

Sur ces mots, Dorin quitta la chambre.

Peu après, il entrait aux écuries. Il y choisit d'un seul coup d'œil le roncin le plus solide et le plus endurant. Les écuyers le harnachèrent, tout en lui racontant le singulier comportement de Lancelot, quelques heures plus tôt.

Le soleil était déjà haut dans le ciel quand le jeune prince s'élança au galop sur les traces du chevalier et de son âne.

Il n'eut guère de peine à les rattraper. Un vallon descendait en pente douce jusqu'au large lit de la Loire. Sur la rive de sable clair, un homme en cotte blanche, tenant un petit âne par la bride, marchait d'un pas égal vers l'ouest.

Dorin retint sa monture. Il décida qu'il était plus sage de ne pas rejoindre le chevalier tout de suite. Malgré l'étrange humilité dont il avait fait preuve devant les écuyers, Dorin craignait encore la violence de ses réactions. Il claqua doucement la langue, son roncin partit au pas. Ainsi le jeune prince se mit-il à suivre, de loin, Lancelot, son demi-frère.

*

Pendant plusieurs jours, tout se passa de cette façon : à l'aube, Lancelot se levait, faisait ses ablutions dans l'eau du fleuve, puis passait une bride au museau de l'âne et lui posait une couverture pliée sur l'échine. Après quoi, il s'en allait le long de la rive, tournant le dos au soleil levant.

De son côté, à une distance de quelques centaines de pas, Dorin avait les mêmes gestes : lever, ablutions, harnachement du roncin. La seule différence était qu'il grimpait sur le dos de sa monture.

De temps à autre, ils croisaient des paysans ou voyaient passer des bateliers qui les saluaient joyeusement, debout dans leurs larges barques à fond plat. À midi, le chevalier déjeunait d'une carpe qu'il avait pêchée à l'arc — une seule flèche lui suffisait. Dorin l'imitait, quoiqu'il eût, les deux ou trois premiers jours, plus de difficulté à attraper un poisson de la sorte. Le repas terminé, Lancelot repartait pour une marche qui ne s'interromprait qu'avec la tombée de la nuit. Là, ayant choisi un endroit sec et frais non loin de la berge, il bouchonnait son âne, puis le laissait libre. Lui-même, armé de son arc, s'enfonçait dans un bois proche, d'où il ressortait peu de temps après, un lapin ou un oiseau à la main, qu'il faisait rôtir, cependant que Dorin, de son côté, battait encore les bois en quête de gibier.

Jamais Lancelot ne donnait l'impression de savoir qu'il était suivi de l'aube au coucher — et imité en tout.

Le cinquième jour, il y eut une première entorse à cette répétition tranquille de faits et gestes. Comme d'habitude, Lancelot fit halte à l'heure où le soleil est au plus haut. Mais il laissa son arc près de l'âne et retira sa cotte et ses chausses. Et c'est ainsi, nu, qu'il entra dans l'eau du fleuve.

Décontenancé, Dorin se demanda ce qu'il devait faire. Il demeura à côté de son cheval tout en observant le chevalier.

Celui-ci avait à présent de l'eau jusqu'à mi-cuisses. Il s'était immobilisé, le dos courbé, les mains ouvertes, écartées du corps, le regard rivé sur la surface miroitante de la Loire. Il se passa ce qui parut à Dorin un temps interminable, durant lequel Lancelot ne bougea pas, comme pétrifié, tandis que, dans la chaleur de l'été, des insectes bourdonnaient autour du visage du jeune prince et que le roncin battait de la queue ou agitait les oreilles pour chasser les taons qui l'assaillaient.

Tout à coup, le chevalier plongea les mains dans le fleuve. Et, tout aussi vite, il se redressa : il maintenait dans ses poings une carpe frétillante qui lançait des éclairs d'argent sous le soleil. Quelques instants plus tard, Lancelot était revenu sur la berge. Il assomma le poisson en le cognant contre une pierre. Sans même prendre le soin de se rhabiller, il prépara et alluma un feu.

Dorin n'avait aucun moyen de déterminer si le chevalier avait agi naturellement ou s'il s'agissait d'une sorte de jeu signifiant : « Toi qui me suis et me copies en tout, eh bien, montre-moi de quoi tu es capable. »

— Ah, se dit-il, tu crois que je ne serai pas assez vif pour capturer une carpe à la main ? Tu vas voir.

Et il s'apprêta à retirer sa cote. Brusquement, il s'arrêta dans son geste et rougit. Non. Non, il ne *pouvait* pas se mettre nu. C'était impossible. Impensable.

— Tant pis, grogna-t-il avec mauvaise humeur.

Tout habillé, il s'avança résolument dans le fleuve. Il trouva le courant plus fort et plus froid qu'il n'aurait cru, mais pas question d'hésiter. Il alla se planter dans l'eau jusqu'à mi-cuisses, les pieds solidement posés sur le sable du fond. Et il guetta, parmi les reflets de la surface, le passage d'une carpe.

Il en vit une presque aussitôt. Il se prépara, retint sa respiration, attendit que le poisson ondule paresseusement entre deux eaux tout près de ses jambes... et il y plongea les mains ! Il sentit le corps froid, nerveux lui glisser entre les doigts, perdit l'équilibre, poussa un petit cri de dépit et tomba. Vexé, furieux, il se débattit contre le courant, de l'eau lui entra par les narines, il toussa, cracha, et parvint enfin à se remettre debout. Il s'essuya rageusement le visage, les yeux, et jeta un coup d'œil vers la rive.

Là-bas, à deux cents pas, Lancelot finissait de se rhabiller tout en surveillant la cuisson de son repas.

Inutile de raconter l'un après l'autre les échecs de Dorin et ses nombreux plongeons involontaires dans la Loire. Il s'acharna en vain : les carpes pourtant peu craintives — ou peut-être amusées par ces éclaboussures — ne cessaient de venir nager jusqu'entre ses jambes.

Cependant, Lancelot avait paisiblement achevé son déjeuner. Il semblait n'avoir pas jeté le moindre regard du côté de Dorin. Il éteignit le feu de bois sous une poignée de sable, reprit la bride de son âne et repartit.

Dorin fut contraint de renoncer à ses piètres

tentatives. Il retourna sur la rive et monta en selle. Détrempé, transi, grelottant, bredouille et affamé, il talonna son cheval pour ne pas perdre de vue les silhouettes de l'homme et de l'âne qui s'engageaient, là-bas, au loin, dans un bosquet de saules.

Ce soir-là, lorsqu'il fut l'heure du bivouac, Lancelot, comme à l'accoutumée, après avoir débridé et bouchonné le petit âne, se dirigea vers les bois proches. Mais, comme lorsqu'il était parti pour la pêche dans la Loire, il s'y rendit sans arc. Il avait néanmoins roulé une corde à sa ceinture.

Bien entendu, Dorin ne pouvait rien faire d'autre que d'aller à son tour à la chasse les mains vides. Après une journée de jeûne forcé, il avait une faim de loup. Il songea à se munir lui aussi de la corde que son cheval portait dans ses fontes, mais, n'imaginant pas l'usage qu'il pourrait en faire, il décida de se contenter d'une simple dague. Il jeta un coup d'œil au ciel qui s'assombrissait : la lune venait d'apparaître au-dessus du fleuve.

Lorsqu'il eut avancé de quelques pas dans les bois, il dut se rendre à l'évidence. La nuit tombait et, sous les frondaisons, l'obscurité était presque complète. Il s'arrêta. Il tendit l'oreille. Ce qui lui avait paru d'abord un profond silence s'emplit alors de mille bruits. Ululements lointains, derniers cris d'oiseaux avant le sommeil, frêles cavalcades de petits animaux, bruissements et frôlements de toutes sortes, qui finirent par l'inquiéter. La nuit des bois était vivante, beaucoup plus animée qu'en plein jour.

Dorin tâcha de se persuader qu'il n'avait aucune raison d'avoir peur — ou, du moins, qu'un futur chevalier devait surmonter cette peur. Il se remit à marcher, presque à l'aveuglette. Il ne distinguait que des ombres — noires sur fond gris sombre.

Soudain, à quelques pas sur sa droite, il entendit un buisson dont les branches s'agitaient. Un lièvre, se dit-il. Un oiseau peut-être... Aussitôt après, le criaillement caractéristique du faisan retentit, tout proche. Bien que ne sachant trop comment il s'en servirait, il empoigna sa dague et s'approcha très doucement. Le buisson s'agita à nouveau — et, cette fois, il lui sembla en discerner l'ombre courte et épaisse. Le faisan criailla à deux reprises. « Il est à deux pas, songea-t-il le cœur battant, il ne me voit pas, ne m'entend pas. Allons ! »

Il se jeta en direction du buisson. Alors, en un instant, il sentit sa cheville enserrée et agrippée avec une force extraordinaire qui le tira brutalement vers le haut, il poussa un cri de terreur, lâcha sa dague, et il se retrouva suspendu en l'air, la tête en bas, balancé comme au bout d'un fil.

Le criaillement du faisan fit place à un grand rire moqueur. Et Dorin comprit tout : ce « fil » était une corde, la corde qu'il avait vu Lancelot emporter avec lui dans les bois. Il était stupidement tombé dans un piège tout préparé pour lui.

— Chevalier ! hurla-t-il. Ce n'est pas drôle ! Délivrez-moi !

Mais il ne se sentait guère d'autorité ni d'assurance à crier ainsi, pendu par le pied.

Des mains le saisirent aux épaules ; il cessa de se balancer. Il vit, tout près du sien, mais à l'envers, le visage de Lancelot — ou plutôt l'éclat bleu de ses yeux dans la pénombre.

— Te voici en mauvaise posture, jeune Dorin. Cela devient une habitude entre nous. L'autre soir à Trèbe, tu t'es retrouvé les quatre fers en l'air. À midi aujourd'hui, tu barbotais comiquement dans la Loire. Et maintenant...

— Chevalier, détachez-moi !

— Bien sûr que je vais te détacher. Mais quand tu m'auras fait une promesse...

— Délivrez-moi, vous dis-je ! Je ne discuterai pas avec vous tant que je... tant que je...

— Tant que tu n'auras pas recouvré un peu de dignité ?

Piqué au vif, Dorin se débattit et tenta de porter un coup au chevalier. Celui-ci le para sans difficulté.

— Quelle énergie ! se moqua-t-il. Pourquoi ne l'emploies-tu pas à des choses plus utiles ? Comme, par exemple, retourner auprès de ta mère et veiller sur elle ? Pourquoi t'obstines-tu à me suivre et à imiter mes faits et gestes ?

— Ma mère est aussi la vôtre, chevalier ! Nous sommes donc liés par le sang !

— La belle affaire... Je ne suis plus le fils de personne. Et ne m'appelle plus chevalier, car je n'en suis plus un.

Dorin allait répliquer : il lui plaqua la main sur la bouche. Il se pencha tout contre son oreille et chuchota :

— Promets-moi que tu retourneras à Trèbe, et je te délivrerai.

Dorin secoua furieusement la tête. Lancelot retira sa main.

— Jamais !

— Pourquoi ? Pourquoi fais-tu cela ?

— Je veux devenir chevalier. Vous êtes le seul au monde qui puisse me le permettre.

— Tu es prince de Bénoïc : des dizaines de chevaliers seront heureux et flattés de te donner la colée.

— Non ! Il n'y a que vous qui le puissiez.

— Y a-t-il à ce... caprice une raison... disons, raisonnable ?

— Il y en a une.

— Je t'écoute.

— C'est un secret.

— Même pour moi ? Cela n'a pas de sens !

— Je ne peux rien vous expliquer. J'ai besoin de votre confiance.

Lancelot se tut quelques instants. Il réfléchissait.

— Bien, reprit-il enfin. J'ai assez perdu de temps avec toi. Une dernière fois, vas-tu reprendre le chemin de Trèbe ?

— Non.

— Alors adieu.

Il prit la main de Dorin, y glissa un objet dur et froid et s'en alla. Il disparut dans l'obscurité.

— Lancelot ! LANCELOT !

Au loin, la voix du chevalier lança à la ronde :

— Bon appétit, messieurs les loups et les corbeaux !

— Non ! Lancelot ! Mon frèèèère !

Une sueur de panique mouilla l'échine et le front de Dorin. Il se débattit, appela encore plusieurs fois le chevalier, puis épuisé, il renonça.

Les loups... Les corbeaux...

Alors il prit conscience de l'objet que Lancelot avait mis dans sa main. Il le tâta avec précaution, de peur de le lâcher. C'était... oui, c'était une pierre...

Pourquoi une pierre ?... Du bout des doigts, il la parcourut encore. Et en découvrit l'arête. L'arête *tranchante.*

Il faillit pousser un hurlement de joie. De soulagement.

Plus tard, à force de contorsions et à l'aide de la pierre tranchante, ayant réussi à trancher la corde, il tomba lourdement sur le sol. Il aurait voulu se relever aussitôt, mais ses membres, son dos, sa nuque, tout son corps lui faisait mal. Il demeura par terre, les bras en croix, si dolent et si las qu'il aurait pu s'endormir si, quelque part sous les arbres, il n'avait cru entendre l'approche d'une bête. Il se redressa d'un bond, regarda autour de lui, se dit qu'il faisait si noir qu'il ne savait où aller. Où était l'orée du bois ? C'est alors qu'il vit briller deux petites flammes glacées, à une vingtaine de pas. Puis deux autres, et deux autres. Et deux autres...

— Les loups... Leurs yeux !

Il ne se posa plus de question. Il se mit à courir. Droit devant lui. Il heurta un tronc d'arbre. Derrière lui, il *les* entendait courir aussi... Il leva le regard vers les frondaisons, instinctivement. Et il fit bien, car, devant lui, entre les feuilles, il aperçut un morceau de lune. Il se rappela l'avoir vue se lever, juste audessus du fleuve. Il suffisait de s'enfuir dans sa direction !

Il courut comme il n'avait jamais couru de sa vie. Il trébucha sur des racines, fut giflé au passage par des branches basses, mais rien ne serait parvenu à le ralentir. Enfin il découvrit l'orée du bois. Il s'y précipita, les poumons en feu. En sortant des derniers arbres, il buta sur une pierre, tomba, roula plusieurs fois sur lui-même, se redressa, courut, courut, courut jusqu'à la rive, jusqu'à son roncin. Il sauta en selle aussitôt et ce fut seulement là, lorsqu'il se sentit en sécurité, qu'il regarda derrière lui.

Là-bas, à la limite du bois, une meute de loups venait d'apparaître dans la lumière pâle de la lune. L'un d'entre eux, le plus grand, le plus gris, s'assit, leva la gueule vers le ciel et hurla longuement.

Avec un frisson, Dorin talonna son cheval, qui s'élança au petit galop sur la plage.

Il n'y avait plus trace de bivouac. Lancelot et son âne étaient partis.

Dans les jours qui suivirent, Dorin eut beau forcer l'allure de son roncin, il ne rattrapa pas Lancelot. À tous les paysans qu'il rencontrait, il demandait s'ils l'avaient vu. Personne ne semblait l'avoir croisé ni aperçu.

Le mystère n'était pas bien grand. Dorin dut admettre que Lancelot s'était écarté de son chemin pour être certain de lui fausser compagnie.

Un matin, les rives de la Loire s'élargirent. Dorin parvint à un port où convergeaient de nombreux navires — bateaux à fond plat qu'il avait vus tout au long du fleuve et voiliers de pêcheurs. Il ne s'y arrêta pas. Il poursuivit sa route, comme attiré par le vent frais qui soufflait doucement de l'ouest. Bientôt, la Loire devint si large qu'elle ne mérita plus le nom de fleuve — on n'en voyait plus la berge opposée.

Peu avant la nuit, Dorin atteignit l'océan. Il avait passé les seize ans de son âge au royaume de Bénoïc.

Il ne connaissait la mer que par quelques récits qu'il avait lus ou qu'on lui en avait faits.

Ce qu'il avait devant les yeux dépassait toute imagination. Il descendit de cheval et s'avança jusqu'au bord des dernières vagues. L'étoffe de sa cotte claquait sur sa poitrine, chahutée par un vent qui semblait venir d'au-delà du monde — tel le souffle de Dieu Lui-même. Quelque chose au fond de lui, de plus puissant que sa volonté consciente, lui donna l'envie de se mettre nu. Il retira vivement sa cotte et ses chausses, marcha à la rencontre des vagues, y plongea joyeusement.

L'océan, la mer était son élément.

Combien de temps passa-t-il à jouer ainsi parmi les vagues ? Le soleil n'était plus qu'une longue trace pourpre à l'horizon quand il revint sur la plage.

— Eh bien, fit une voix goguenarde, j'en aurais à raconter si je rentrais maintenant à Trèbe...

Un homme était assis dans le sable. Un homme sans âge, très maigre — si maigre qu'on discernait chacun des os de son visage et de son crâne. Désemparé, Dorin tenta tant bien que mal de cacher sa nudité tandis qu'il se précipitait vers ses vêtements.

— Qui êtes-vous ?

— Excellente question. Je te la retourne. Qui es-tu vraiment, jeune prince de Bénoïc ?

Dorin se rhabilla à la hâte.

— Que veux-tu ?

— La même chose que toi : retrouver Lancelot. À nous deux, on devrait y arriver.

— Pourquoi ?

L'homme maigre se mit debout. Il fit lentement couler du sable de son poing.

— Le temps passe, le temps presse, dit-il. Je connais une partie de ton secret. Je vais te confier une partie du mien : on m'appelle Mangemort.

Il se frotta les paumes, comme pour les débarrasser des derniers grains de sable.

— Le temps est passé. Je dois honorer mon surnom. Avec ton aide. En route !

2

Les clés de l'Autre Monde

Après avoir laissé Dorin pris au piège, pendu la tête en bas, Lancelot avait rejoint son âne et franchi à pied le gué jusqu'à la rive droite du fleuve. Il avait marché toute la nuit. Au matin, il était entré dans un hameau où il avait échangé le petit âne et une dizaine de pièces d'or contre un gros et large cheval de labour à la robe noire. Après quoi, juché sur l'animal qui aurait pu sans souci porter trois hommes, il prit la route du nord-ouest. Il avait hâte de parvenir à Brocéliande, hâte d'en finir avec sa vie de chevalier, hâte de laisser derrière lui une existence dont il ne voulait plus et que tout, à commencer par ce petit Dorin, s'ingéniait à vouloir lui rappeler.

Il s'en voulait à présent de n'avoir pas manifesté plus de joie à retrouver sa mère. Il avait l'impression d'un nouvel échec. Il ne regrettait pas sa décision de renoncer à régner sur Bénoïc, il regrettait de s'être montré encore une fois mauvais chevalier : son orgueil et son désir de vengeance — deux sentiments interdits aux vrais chevaliers — l'avaient égaré au point qu'il avait failli abuser de sa propre mère. Il voyait dans cette circonstance une nouvelle preuve, une preuve définitive d'avoir été abandonné par Dieu et le destin. Vingt ans plus tôt, il avait commis l'erreur impardonnable d'aimer l'épouse de son roi. À cause de cette erreur, de cette faute, il n'avait pas accompli sa destinée : obtenir le Graal. À cause de cette erreur, de cette faute, il avait toute sa vie fait de mauvais choix.

Ou bien...

Il caressa machinalement l'encolure noire du cheval de labour qu'il montait. Il s'aperçut vaguement qu'il approchait d'un château dont les murailles blanches rosissaient sous les rayons du soleil couchant.

Ou bien...

Ou bien j'ai pris prétexte de cette erreur, de cette faute, pour ne jamais accomplir ce qui devait l'être — pour ne jamais *m'accomplir*. J'ai eu peur des responsabilités de mon destin. J'ai tout fait, jusqu'à chercher la mort, pour y échapper. J'aurais pu obtenir le Graal, si j'y avais cru. Si j'avais cru en moi. Il se rappela ce jour, au bord d'une falaise, face à l'île de Gorre, lorsque Guenièvre avait dit : « Lancelot ne viendra pas à Camaalot. » Les chevaliers m'aimaient, admiraient mes exploits, je n'avais qu'à répliquer : « Ma place est à Camaalot. Je vous ai sauvé la vie, Guenièvre, vous ne pouvez plus rien m'interdire. » Au lieu de quoi...

— Je suis un fou ! s'écria Lancelot. Je suis un fou depuis vingt ans ! Et un lâche par le cœur...

Certes, sur la falaise, ce jour-là, il avait cru que Guenièvre le méprisait. Mais pourquoi s'était-il montré si naïf? Elle ne me méprisait pas, elle m'aimait, je le sais à présent... Elle croyait, à cause du miroir noir de Baudemagus et de ce qu'elle y avait vu, que je l'avais trompée. Qu'aurais-je dû faire ?

— Sûrement pas ce que j'ai fait, grogna-t-il entre ses dents alors qu'il arrivait en vue de chênes multicentenaires aux troncs énormes, dont les branches et le feuillage étaient si épais qu'ils arrêtaient la lumière du jour. Rien, personne — ni la Providence ni Dieu, ni Guenièvre ni Merlin, ni ce que j'ai cru mes erreurs et mes fautes —, rien, personne n'est responsable de ce que je suis aujourd'hui. À part moi. Je n'ai jamais eu peur au combat ? C'est parce que je savais que je vaincrais toujours. Où est mon courage ? Dès qu'un plus « grand chevalier du monde » que moi, mon fils, Galahad, s'est manifesté, je n'ai cessé d'être vaincu. Ce n'est pas que mes adversaires étaient plus forts que moi : c'est que je m'étais persuadé que, contre eux ou n'importe quels autres, j'allais perdre...

Comme s'il se faisait l'arbitre des débats de conscience de Lancelot, le gros cheval noir s'arrêta à la frontière invisible entre le château aux murailles blanches et la forêt aux arbres sombres. Lancelot se toucha le front. Il fallait qu'il éloigne de soi cette question effrayante : était-il celui qu'il devait être (quelles que soient les circonstances) ou n'avait-il fait que s'enfoncer dans l'erreur et la faute depuis ce jour lointain où il avait croisé le regard de Guenièvre et l'avait aimée ?

Le gros cheval de labour ne se posa pas tant de questions. Il avait faim. Il flaira, dans le château, l'odeur de l'avoine. De sa propre initiative — tandis que son maître philosophait —, il traversa le pont-levis, entra dans la cour et, les naseaux frémissants, trouva le chemin des écuries.

Ce n'est que parvenu au milieu des roncins, des destriers, des palefrois, des mules et des ânes, dans l'odeur de paille et de crottin, que Lancelot revint à la réalité et demanda :

— Où suis-je ?

— Chez la baronne Clésythyre, répondit une voix derrière lui.

Lancelot se retourna : un homme de haute taille, vêtu — tel le moine d'un ordre que le chevalier ne connaissait pas — d'une longue robe noire, dont le capuchon était rabattu sur son visage, se tenait au milieu de l'écurie.

— Pardonnez-moi cette intrusion. J'étais... j'étais plongé dans mes pensées et mon cheval m'a conduit jusqu'ici sans que j'en prenne conscience.

— Il a bien fait. Cette nuit, la baronne a rêvé d'un cheval noir emportant un chevalier blanc. Elle vous attend.

Décontenancé par cet accueil, Lancelot sauta à bas de sa monture. Laquelle s'approcha de la mangeoire. Les autres chevaux, les mules et les ânes s'écartèrent nerveusement pour lui livrer passage. Une jument blonde, affolée, rua, brisant les planches de sa stalle.

— Ho ! fit le moine en élevant les mains. Tout est bien !

Comme s'ils l'avaient compris, comme s'il les avait subjugués, les animaux s'apaisèrent. Le gros cheval noir, cependant, avait plongé le museau dans l'avoine.

Le moine fit un signe à Lancelot.

— Si vous voulez me suivre...

★

Lancelot ne croisa pas un seul varlet, un seul écuyer, un seul domestique, une seule demoiselle ou dame dans le château. Il n'y avait là que des moines en robe noire, ombres silencieuses et sans visage. Ils trottinaient par deux ou par trois, la tête baissée sous le capuchon, les mains croisées sur le ventre, enfouies dans leurs manches.

— Cet endroit est donc un monastère ? demanda Lancelot à son guide.

— Pas exactement.

— Mais... tous ces moines ?

— Ce sont les gens du château. Vous ne pouvez les reconnaître, mais il y a là des demoiselles et des dames, des chevaliers et des varlets, des médecins et des domestiques.

Ils grimpaient tous deux un escalier en colimaçon. Lancelot s'étonna :

— Pourquoi sont-ils habillés de la sorte ?

— Vous poserez la question à la baronne Clésythyre.

Sur ces mots, ils atteignirent une coursive. Le moine conduisit Lancelot jusqu'à une chambre dont il ouvrit la porte. Un feu ronflait dans la cheminée. Une grande baignoire d'étain fumait, emplie d'eau chaude.

— Prenez un bain, chevalier. Puis enfilez les vêtements qui ont été préparés pour vous. Ensuite, vous dînerez avec la baronne.

Après s'être incliné, le moine s'en alla. Lancelot entra dans la pièce, en referma la porte, regarda autour de lui. Il vit, disposés sur un fauteuil de bois, des habits noirs. Cotte et chausses. Il alla jusqu'à la baignoire, y mit le bout des doigts — l'eau était très chaude — et continua d'inspecter du regard les murs et le plafond. Il y cherchait l'indice, le signe d'un piège.

Il ne vit rien. Rien de menaçant. Après tant de plongeons dans l'eau froide de la Loire, la perspective d'un bain chaud ne lui était pas déplaisante. Il n'hésita plus. Il se déshabilla et entra dans la baignoire. Aussitôt, il se sentit extraordinairement bien. Et, peu après, il s'endormit.

Il rêva. Était-ce vraiment un rêve ? Cela ressemblait tellement à la réalité... Il chevauchait un gros cheval noir — le même que celui qu'il avait laissé aux écuries. Tout allait bien, l'assise était plus que confortable. Jusqu'à ce que le cheval, peu à peu, se mette au galop. D'un lourd galop qui semblait faire trembler le sol sous ses sabots. D'abord, Lancelot trouva cette sensation de vitesse et de puissance très agréable. Mais le cheval galopait de plus en plus vite — si vite que le paysage alentour était de moins en moins visible, présent ; et qu'il finit par disparaître tout à fait. Le cheval noir et son cavalier galopaient dans le vide. Il n'y avait rien autour d'eux, ni au-dessous, ni au-dessus. Ni lumière ni obscurité.

— Le néant !

Lancelot se réveilla dans un sursaut, ne sachant s'il avait crié dans la réalité ou dans son rêve. Il se frotta le visage, se mit debout dans la baignoire — combien de temps avait-il dormi ? L'eau du bain était toujours aussi chaude. Pourtant, aux deux étroites fenêtres de la pièce, il faisait déjà nuit. Comme s'il avait dormi des heures entières.

Il se sécha à l'aide des linges que l'on avait disposés près du grand bac d'étain. Il alla pour se rhabiller — et se rappela les mots du moine noir : « Enfilez les vêtements qui ont été préparés pour vous. » Il passa la main sur la cotte et les chausses noires qui lui étaient destinées. De la soie. La plus pure des soies.

Une dernière fois, il examina la pièce. Aucun piège ne s'y trouvait. L'intuition — ou sa longue habitude des mauvais tours qu'on lui avait joués et qu'il avait déjoués — lui souffla de rester prudent.

— On veut que je revête ces habits noirs, se murmura-t-il. Je le ferai. À ma façon.

⋆

À peine s'était-il habillé que le moine noir entra dans la pièce.

— La baronne Clésythyre vous attend.

Lancelot le suivit dans la coursive et l'escalier. Ils pénètrent dans la salle.

Six personnes en robe de moine se tenaient contre un mur, six autres contre le mur d'en face. Les six dernières étaient alignées, debout, devant une grande table de banquet.

À cette table, il n'y avait qu'un convive : une femme très brune, aux longs cheveux libres lui couvrant les épaules, au visage d'une lumineuse pâleur de lune. Elle se leva à l'arrivée de Lancelot. Elle portait un lourd trousseau de clés à la ceinture. Lui désignant d'une main aux longs ongles blancs le siège à sa droite, elle dit :

— Je suis ravie d'accueillir chez moi le célèbre Lancelot.

Le chevalier s'approcha lentement de son siège, tout en examinant les trois fois six personnages en noir disposés dans la salle.

— Je suis flatté que vous m'ayez reconnu, dit-il. Pourtant aucun de mes combats ne m'a jamais mené dans cette région du monde.

— La renommée d'un chevalier tel que vous franchit toutes les frontières. C'est moi qui suis flattée que vous soyez passé par ici...

— Ce n'était qu'un hasard, l'interrompit-il. Ou la volonté de mon cheval.

— Asseyez-vous.

Lancelot obéit. Il s'installa à la droite de la baronne Clésythyre. Un souffle d'air glacé le fit frissonner. Il jeta un coup d'œil autour de lui : les portes, pourtant, étaient toutes fermées. Clésythyre étendit sa longue main aux ongles blancs sur la table, tout près de celle de Lancelot.

— Je suis contente que vous soyez parmi nous. Et que nous puissions partager ce repas.

— Je vous remercie de votre hospitalité.

Les ongles blancs effleurèrent le côté de sa main. Il fut parcouru d'une onde de glace. D'instinct, il se rejeta en arrière. Clésythyre lui sourit.

— Vous me semblez bien affaibli, chevalier... Dînons.

Elle claqua dans ses mains, sans cesser de lui sourire. Deux des moines noirs qui se tenaient près de la table s'approchèrent de la baronne et du chevalier. Ils leur proposaient chacun un plat dont Lancelot aurait juré qu'ils ne les portaient pas un instant plus tôt. Ils les déposèrent l'un devant la baronne, l'autre devant Lancelot. Sur un signe de Clésythyre, ils en retirèrent les couvercles.

Lancelot serra les dents pour ne pas pousser le cri d'horreur que son hôtesse, sans doute, attendait de lui.

Devant lui, en guise de plat, il y avait une tête. Humaine. Et parfaitement reconnaissable. C'était celle de Gauvain, son ami et son maître, celui qui, avant que Lancelot arrive à la cour de Camaalot, était considéré comme le meilleur chevalier du monde et le « parangon de courtoisie ». Mort, dix ans plus tôt, à la bataille de Carduel.

Sur le plat servi à la baronne Clésythyre, une autre tête : celle d'Arthur, le roi de la Table Ronde, l'époux de Guenièvre, mort lui aussi à Carduel.

— Que signifie cette horreur? s'écria Lancelot.

— Les morts veulent te parler, Lancelot, dit Clésythyre. Tous ces morts t'ont toujours accompagné... Tu ne te délivreras d'eux — et de ta conscience coupable — que si tu les dévores !

— Mort au Diable ! hurla Lancelot, qui se leva brutalement, renversant son siège. Mort au Diable et à ses suppôts !

Par réflexe, il chercha son épée à sa ceinture : il n'en portait plus.

— Regarde, lui dit Clésythyre. Regarde ce qu'on fait de la conscience et des remords !

Elle saisit la tête d'Arthur et y planta les dents. Elle semblait une louve plantant ses crocs dans une proie.

Il n'y eut pas de sang qui gicle. Les morts ne saignent pas. Tandis que la tête d'Arthur grimaçait d'une douleur extraordinaire, des milliers d'images s'échappèrent de son crâne par les trous que les dents de la baronne y avaient creusés. Et ces images de toute une vie se déployaient autour de la propre tête de Clésythyre — et y pénétrèrent par tous les orifices, les narines, la bouche, les oreilles et les yeux.

— Grâce à toi ! hurla-t-elle. Je deviens Arthur !

Elle se dressa, les dents encore plantées dans le crâne du roi défunt, la tête prise dans le tourbillon de la vie et des pensées de celui qu'elle vampirisait.

— Grâce à toi, sans qui je n'aurais pu susciter ces morts, je vais revivre ! Ah... Ah... Comme je me suis ennuyée à Avalon, depuis que Merlin m'a tuée... Mais désormais je sais que je vais vaincre ! Je sais que je vais accomplir mon destin ! Je sortirai du royaume des Morts et je vous ferai voir, à vous tous, qui je suis et ce que je vaux !

Lancelot avait reculé jusqu'au mur. Il tenait toujours entre ses mains la tête de Gauvain.

— C'est vous ? demanda-t-il. C'est vous, Morgane ?

— Qui veux-tu que je sois ? Toute ma vie et maintenant toute ma mort ne sont consacrées qu'à ma vengeance. Rien ne m'arrêtera. Je devrais régner sur Logres, depuis toujours ! Je devrais avoir obtenu le Graal et régner sur l'univers entier ! Merlin, ce ridicule fils du Diable honni par son père lui-même, m'en a empêchée ! Et tous, toi, Perceval et Galahad, vous vous êtes ligués contre moi !

— Nous étions les chevaliers élus...

La tête de Gauvain, que Lancelot tenait toujours entre les mains, s'ébroua et murmura :

— Trouve un terrain d'entente avec elle. Oublie ton orgueil. Sois plus malin qu'elle. Négocie.

— Que je négocie ? Mais quoi ?
— Elle a besoin de toi.
— Pourquoi ?
— Tu es en vie.

Comme si l'effort de ce dialogue entre mort et vivant avait été trop violent, la tête de Gauvain disparut. Lancelot n'eut plus entre les mains qu'un plat vide. Il le jeta à terre et bondit vers la grand-porte de la salle.

Clésythyre — ou plutôt Morgane — s'écria :

— Attrapez-le ! Il ne doit pas sortir d'ici ! Sa place est au royaume des Morts !

Les trois sizaines de faux moines en robe noire se lancèrent comme un seul homme à la poursuite de Lancelot qui avait atteint la grand-porte et s'efforçait de l'ouvrir.

En vain.

Les assaillants furent sur lui alors même qu'il se retournait. Il n'avait pas d'arme. Mais il n'avait pas peur.

Il envoya son poing dans le visage du premier faux moine. Il y eut un craquement sinistre. Le capuchon retomba en arrière, révélant une face de squelette broyée par le poing du chevalier. D'autres, et d'autres faux moines, et d'autres encore se précipitaient sur lui. Il frappa, il frappa, il frappa. Des mains qui n'étaient que des os s'agrippaient à lui. Il s'en dégageait, frappant, frappant, frappant toujours. Lorsqu'il les assommait, les faux moines s'effondraient, dans un bref éclat de lumière rouge — et il ne restait plus sur les dalles de la salle que des robes noires, flasques et vides de tout occupant.

Lancelot comprit qu'il luttait contre des fantômes. Et, plus étrange, qu'il avait le pouvoir de repousser ces fantômes.

Pourtant, il lui fallut se rendre à l'évidence : il y en avait trop. Il avait beau frapper et les rejeter à leur nature de spectres, bientôt il succomberait sous leur nombre. Ses phalanges saignaient, ses forces l'abandonnaient.

Morgane hurla :

— Achevez-le ! Entraînez-le au royaume des Morts !

Deux, trois, dix fantômes en robe noire s'agrippèrent à Lancelot, lui entravant les bras, l'empêchant de frapper encore. Alors qu'il commençait à plier les genoux, étouffé par tant de spectres, il lui revint à l'esprit les derniers mots de Gauvain : « Tu es en vie ! »

La vie...

Il banda ses forces, retint son souffle et, soudain, se redressa.

— La vie !

D'un sursaut, d'une sorte de frisson vital, il se débarrassa des fantômes accrochés à ses bras, ses épaules, ses jambes, tournoya sur lui-même, les éjectant le plus loin possible.

— Au royaume des Morts ! hurlait Morgane. Emportez-le au royaume des Morts !

Elle tendit sa main aux ongles blancs vers les dalles, qui, dans un fracas de fin du monde, éclatèrent, et s'ouvrirent sur un gouffre béant d'où sourdaient des flammes froides.

Alors, sous les yeux effarés de Lancelot, les robes noires se relevèrent — toutes celles qu'il avait affrontées, frappées, et qu'il croyait avoir vaincues. Épuisé, à bout de souffle, il recula contre la porte.

Il comprit qu'il ne lui restait plus qu'une seule échappatoire. Si c'en était une...

Il s'arracha la cotte noire qu'on l'avait obligé à porter. Il apparut en la cotte blanche, marquée à l'épaule d'un trait vermeil, qu'il portait depuis ses dix-huit ans. Puis il se mordit la main gauche, de toutes ses forces. Il enfonça les doigts de sa main droite dans la plaie. Et, avec le sang de cette blessure, il traça, au trait vermeil de son blason, une ligne perpendiculaire.

Sur son cœur.

Une croix.

Aussitôt les spectres en robe noire refluèrent. Le blanc du vêtement, la croix de sang les épouvantèrent. Ils reculèrent.

— À mort ! À mort, Lancelot ! criait Morgane.

Ils ne lui obéissaient plus. Ils ne le pouvaient pas. Le blanc de la cotte de Lancelot — la couleur de *lumière* — le leur interdisait, tout autant que la croix de sang dessinée sur sa poitrine. Ils ne pouvaient s'affronter aux symboles magiques de la vie, de la mort et du pouvoir de Dieu.

Lancelot se dirigea vers la table. Il ne craignait plus les spectres en robe noire. Il s'avança vers Morgane presque jusqu'à la toucher.

Son visage n'était plus qu'un crâne de squelette, ses cheveux, un grouillement de vers brunâtres, ses yeux, deux cavités sombres.

— Que me voulez-vous ? lui demanda-t-il. Je me retire du monde. Je me moque de ce qu'il peut arriver ici-bas désormais. Je ne vous aime pas, mais je ne suis plus votre adversaire.

— Es-tu vraiment assez naïf ou bête pour y croire ?

Lancelot hocha la tête, comme s'il réfléchissait à ce qu'elle lui avait répondu. Puis il lui arracha les clés qu'elle portait à la ceinture.

— Je m'en vais d'ici, dit-il. Je ne veux plus vous revoir.

— Sinon ?

Il l'attrapa par le cou — quelques vertèbres.

— Sinon... je mourrai pour le seul plaisir de vous retrouver dans l'Île des Morts...

— Tu ne crois pas si bien dire...

— Ne me menacez pas...

Lancelot referma le poing, brisant les vertèbres du squelette. Clésythyre, ou Morgane, s'effondra — et disparut. Du bout du pied, négligemment, il repoussa la robe étendue devant lui.

— Tu as commis une erreur, Morgane. Et tu n'imagines pas à quel point.

Il se retourna vers la salle. Il n'y avait plus aucun spectre. Ils s'étaient volatilisés.

L'une des grandes clés du trousseau qu'il avait pris à Clésythyre-Morgane lui ouvrit la porte vers la cour.

3

La forêt sous la terre

Le lendemain, Lancelot pénétra dans la forêt de Brocéliande quelque temps avant le coucher du soleil. Aux écuries du château de la fausse Clésythyre, il avait récupéré son gros cheval de labour, ignorant les roncins et les destriers de première qualité qui s'y trouvaient. Il se doutait à présent que cet animal, qu'il avait cru acheter par hasard, lui avait été destiné. Que sa robe noire était le signe même d'une nature nocturne et maléfique.

Une nouvelle aventure lui était imposée par il ne savait quelles forces ennemies — oui, Morgane, sans doute, mais qui d'autre ? Morgane seule, quelle qu'ait été l'étendue de ses pouvoirs lorsqu'elle était vivante, ne pouvait les avoir retrouvés dans la mort sans l'aide d'un esprit — démoniaque ou divin — beaucoup plus puissant qu'elle. Lancelot n'entrait plus à Brocéliande comme il avait voulu le faire : tel un futur ermite, attendant, dans la privation et le renoncement au monde, sa propre mort. Morgane l'avait défié. Il avait compris que, même au royaume des Morts, une lutte farouche opposait la Table Ronde d'Arthur aux entreprises magiques de Morgane. Laissant libre son gros cheval noir de trouver lui-même sa route, il parviendrait à l'endroit où une dernière mission l'attendait. Lancelot ne songeait plus qu'à se battre et à vaincre. Il était redevenu lui-même.

Les chênes de Brocéliande avaient des troncs si larges et des frondaisons si épaisses qu'il y faisait nuit bien avant que le soleil se couche. Les mains sur l'arçon de sa selle, Lancelot s'abandonna à la volonté de son cheval.

— Conduis-moi où l'on m'attend, mon grand, lui dit-il en lui caressant l'encolure. Que ce soit bien, que ce soit mal, il m'appartiendra de l'apprendre.

Peu après, ils parvinrent à une clairière. Le gros et grand cheval noir s'arrêta. Lancelot examina l'endroit : la dernière lumière du couchant et la lueur de la pleine lune déjà levée presque au zénith du ciel éclairaient une clairière comme les autres, apparemment inoffensive. Lancelot descendit de sa monture. Il lui tapota le chanfrein.

— Est-ce là où tu devais me mener, en définitive ?

Le cheval secoua la tête, leva les naseaux vers la lune et hennit longuement.

— Adieu, lui dit Lancelot, tout en lui retirant la bride, le mors et la couverture de laine qu'il lui avait mise sur l'échine en guise de selle.

Cela achevé, le cheval s'éloigna d'un trot lourd et tranquille dans la forêt.

Lancelot demeura seul. Il s'avança vers le centre

de la clairière. Au point exact qu'éclairaient les rayons de la lune.

Il n'eut pas à attendre longtemps. La terre s'ouvrit sous ses pieds. Lancelot ne fit pas un geste pour s'écarter. Il tomba dans un trou d'une profondeur inouïe.

★

Mangemort montait un cheval aussi maigre que lui. Sous sa robe d'un noir si luisant qu'il tirait vers le bleu, on ne savait si c'était un roncin ou un destrier. C'est-à-dire qu'il avait l'allure et le port de tête d'un destrier, mais aussi la force sereine d'un roncin qui vous mène jusqu'au bout du monde — et *cependant il était maigre à un point inimaginable*. Monture et cavalier ressemblaient à des squelettes, dont Dorin ignorait comment ils avançaient avec tant de vigueur.

Ils atteignirent l'orée de la forêt de Brocéliande.

— Nous arrivons au but, dit Mangemort.

— Le retrouverons-nous ? demanda Dorin.

— Tu es ce que tu es, et ça nous servira, répliqua Mangemort en donnant un coup d'éperons à son cheval.

— Qu'est-ce qui vous servira ? Que je sois un prince ou je sois... moi ?

— Les deux. Arrête de poser des questions, p'tit prince. Tu m'énerves. Reste concentré sur notre aventure. Si tu n'es pas trop stupide ni maladroit, elle te donnera bien plus de pouvoir que tu ne t'en es jamais imaginé.

Ils s'enfoncèrent parmi les arbres de Brocéliande. Comme s'ils s'enfonçaient dans la nuit.

— Que voulez-vous à Lancelot ?

Un gros cheval noir les croisa, qui, au petit galop, allait hors de la forêt.

— Quel est le fond de ta question ? Est-ce que je le déteste ? Non. C'est clair ? Est-ce que je veux sa mort à Brocéliande ? C'est encore non. Est-ce que je suis complice de ses ennemis ? Tu l'apprécieras toi-même, p'tit prince. Cesse de poser des questions. Les seules qui valaient, Lancelot, ton frère, ne les a jamais posées.

Ils pénétrèrent dans une clairière. Une étrange clairière où les rayons de la lune convergeaient vers une large excavation, au bord de laquelle Dorin et Mangemort s'approchèrent.

— Ça me paraît bien profond, dit Mangemort. Comme un œil de l'enfer.

Dorin jeta un regard dans le gouffre ouvert à ses pieds, qu'éclairaient vaguement les rayons de la lune.

— Où retrouverons-nous Lancelot, d'après vous ?

Avec une grimace, Mangemort désigna le trou béant dans la clairière.

— Imaginons qu'il a vu ce trou. Rappelons-nous ce que nous savons de Lancelot. En rapprochant ces points de vue, je ne peux qu'en conclure que Lancelot s'est jeté au fond de ce trou — qui mène Dieu et le Diable savent où...

Mangemort descendit à bas de sa monture. Agitant l'index, il fit signe à Dorin.

— Viens près de moi.

Le jeune prince lui obéit. Il s'approcha du bord du trou.

— Vous êtes sûr que… ?

— Écoute, dit Mangemort. Réfléchis encore, si tu veux. Quant à moi…

Et Mangemort plongea dans le trou — qui l'avala comme l'aurait fait une bouche gigantesque.

— Jeee.. t'aaaaa… ttends !

Dorin comprit qu'il ne pouvait échapper à cette nouvelle épreuve. Il se rappela tous les récits d'aventures qu'il avait lus et qu'on lui avait contés sur les chevaliers qui affrontent l'impossible. L'impossible ? C'était ce trou, ce puits ouvert au centre de la clairière — et que ce Mangemort s'y soit jeté sans autre forme de prudence.

Il ferma les yeux, retint son souffle et plongea. La tête la première.

*

La forêt, vert et noir, se dressait autour de lui, sans horizon. Ni est, ni ouest, ni nord ou sud, elle était là, comme un double infernal de la forêt véritable, Brocéliande, comme si ses frondaisons en prolongeaient les racines jusqu'au centre de la terre. Au toucher, l'écorce, les branches étaient dures, ligneuses et friables comme l'arc de Ban. Une forêt de pierre.

Lancelot marchait sur un sentier sinueux. Il ne savait pas depuis combien de temps il était là, au milieu de cette forêt souterraine, avançant sans que jamais le paysage change, comme si, au-delà des arbres minéraux, il n'y aurait jamais que des arbres et des arbres. Ses jambes se faisaient de plus en plus lourdes ; il lui semblait que le sol, sous ses pieds, devenait spongieux, aspirait ses pas, cherchait à le retenir.

Épuisé, anxieux, il se retourna, mais il ne vit, derrière lui, que le sentier de terre noire, intact, sans empreintes ni traces. Il regarda ses pieds et s'aperçut avec effroi qu'ils effleuraient à peine le sol, comme s'il était suspendu en l'air. Pourtant, lorsqu'il voulut repartir, il dut faire un effort immense pour avancer encore.

« *Va plus loin... Plus loin...* » Une voix — un murmure, mais impérieux — lui soufflait à l'oreille. Il chercha autour de lui qui lui parlait. Il ne vit personne. Une brise lui enveloppa le visage, sèche et brûlante, et la voix répéta : « *Va plus loin... Plus loin... Plus loin...* »

Alors Lancelot s'accroupit, rassembla ses forces et bondit. Il lui sembla s'arracher à la puissante succion qui le maintenait sur le sentier, et il se retrouva plusieurs coudées au-dessus du sol. Le souffle, à présent, s'était lové tout autour de son corps, le brûlant telle une tunique de Nessus. Il se débattit contre la douleur. Dans un effort immense, il parvint à s'arracher au vent de feu qui l'enveloppait.

Il reprit son souffle. Il haletait.

Il se tenait debout sur de l'air, un air dur comme de la pierre, à hauteur des frondaisons vert sombre. « *Plus loin... Plus loin...* », dit la voix. Lancelot hésita. Il avança la jambe droite avec précaution, tâtonna dans le vide, rencontra du bout des orteils ce qui lui parut un chemin ou quelque passerelle invisibles. Il y déposa le pied. Il fit un pas. Tâtonnant encore, il fit un autre pas.

« *Plus loin...* »

Cette fois, il se décida. Il se mit à avancer, lentement, posément, sur l'invisible passage. Et, plus il avançait, plus ses jambes devenaient légères, plus la fatigue l'abandonnait, plus sa progression se faisait facile.

Quand la voix lui murmura : « *Arrête-toi, maintenant. Et regarde* », il s'aperçut alors qu'il était nu. Il écarta les bras et contempla son propre corps : toutes les cicatrices des nombreux combats qu'il avait livrés avaient disparu, sa musculature que l'usure du temps avait à la fois alourdie et poncée avait repris les formes vives et sèches de la jeunesse.

« *Regarde* », répéta la voix du souffle.

Lancelot leva les yeux. Les denses feuillages des chênes de pierre frémirent, puis s'écartèrent, puis s'abolirent. Il vit qu'il dominait une terre plus vaste qu'il ne l'avait jamais imaginé. Le monde entier s'offrait à lui, à l'infini.

Villages et cités, rivières et fleuves, lacs et mers, collines et montagnes, forêts et déserts, saisons et météores se mêlaient : neige d'hiver, pluie d'automne, fleurs de printemps et grand soleil de l'été. Orages, bourrasques, tempêtes s'apaisaient au contact de vallées verdoyantes et calmes. De grands fleuves tranquilles soudain s'effondraient en cataractes. Des volcans en éruption voyaient leurs coulées de lave fumante se métamorphoser en paisibles prairies. Les châteaux étaient des chênes et les forêts des villes. Il neigeait sur les déserts. Des roses poussaient sur les glaciers.

Et le souffle soudain l'emporta. Il vola, voltigea, pirouetta dans le ciel : il traversa des nuages gris et mauve et en ressortit le corps constellé de gouttelettes. Il accompagna des vols d'oiseaux migrateurs. Il tournoya dans le cœur des ouragans, des orages et des tornades.

Il n'avait pas peur, il n'avait pas froid. Il se laissait conduire par ce souffle magique qui le portait au-dessus des montagnes, des plaines et des fleuves, par-delà les horizons.

Il était bien, et heureux. Il aurait voulu que ce voyage durât toute sa vie.

Mais tout à coup le souffle le saisit comme dans un poing gigantesque et le projeta à nouveau aux tréfonds de la terre.

À demi assommé par le choc de l'atterrissage, il se releva, titubant.

Il se retrouva au cœur de la forêt souterraine. Une forêt où il faisait nuit jour et nuit.

Il avança. De quelques pas hésitants. Il crut apercevoir, dans la pénombre qui effaçait toutes choses, deux silhouettes.

— Où suis-je ? demanda-t-il. Que me veut-on ?

— Tu es dans la Forêt des songes, répondit une voix de femme. La Forêt des regrets et des morts.

— Pourquoi porte-t-elle ce nom ?

— Pourquoi t'y es-tu égaré ? répliqua une voix d'homme.

Les deux silhouettes s'approchaient. Pourtant elles restaient grises, sans visage, comme des spectres.

— Je suis entré dans la forêt de Brocéliande, répondit Lancelot. La terre s'est ouverte sous mes pieds. Puis un souffle m'a brûlé et emporté. Et je suis là.

— Le souffle de la mort, murmura l'ombre féminine.

— Ou du remords ? demanda l'ombre de l'homme.

Ils allaient lentement à sa rencontre. Plus ils étaient proches, plus ils lui semblaient grands, et redoutables. Mais on ne distinguait pas leurs visages.

— Un jour tu as rêvé de cette forêt, dit la femme.

— Mais elle n'est plus un rêve, ajouta l'homme.

— Je ne comprends pas...

— Il est pourtant l'heure que tu comprennes.

— Puis viendra le temps de mourir !

Les ombres se précipitèrent sur lui. Il ne les reconnut qu'à cet instant : Morgane et Mordret ! Deux fantômes noirs aux dents étincelantes, aux yeux rouges, aux longues griffes, qui l'attaquaient.

Il sut qu'il ne pourrait leur échapper. Sauf... Sauf, peut-être, s'il s'écriait :

— C'est un rêve !

À ces mots, tout en se jetant sur lui, les ombres de Morgane et de Mordret se mirent à rire.

— *Il est fini, le temps des rêves !*

★

C'est à moitié étourdi par sa longue chute dans le vide que Dorin s'était remis debout. Tout en se frottant le front, il regarda autour de lui. Il vit d'abord la face de squelette de Mangemort qui lui posa la main sur l'épaule.

— Tu tiendras sur tes deux pattes, p'tit prince ? Ça va ?

— Oui, ça ira...

Titubant encore un peu, Dorin s'écarta de

Mangemort dont la proximité lui répugnait. Autour de lui, il découvrit une étrange forêt, dont tous les chênes étaient semblables, avec leurs épais troncs noirs et leurs feuillages d'un vert profond.

— Où sommes-nous ?

— Dans la véritable forêt de Brocéliande. La forêt des sorts et des maléfices. La forêt sous la terre. Ici tu ne rencontreras que des magiciens et des morts.

— Qu'est-ce que tu racontes ? Un tel lieu n'existe pas. Je connais toutes les légendes et les histoires de Brocéliande. Aucune ne parle de cette... « forêt sous la terre ».

Mangemort ricana, avec une sorte de mélancolie.

— Il y a des secrets bien gardés, p'tit prince. Tu es bien placé pour le savoir, non ?

Dorin posa la main sur le tronc d'un chêne. Il la retira aussitôt, désagréablement surpris par le contact glacé de son écorce.

— Tout est très froid ici, reprit Mangemort. Ou très chaud. Les infinies nuances de la vie n'ont plus cours en cet endroit. Nous sommes outre-monde.

— Outre-monde ?

— Tu ne veux décidément pas comprendre, n'est-ce pas ? Je vais te le dire autrement : nous sommes aux Enfers, p'tit prince.

— L'enfer ?...

— *Les* Enfers. Ceux des anciennes religions. Ici, Satan est inconnu. Nous ne sommes pas dans l'Enfer de la religion chrétienne — lieu de tous les supplices éternels réservé à ceux qui ont commis, au cours de leur vie terrestre, plus de fautes et de crimes que de bonnes actions —, nous sommes dans l'une des contrées invisibles où se retrouvent les morts, quelle qu'ait été la qualité de leurs actes sur terre.

— C'est impossible ! Un tel endroit n'existe pas ! Et... et s'il existait, nous, qui sommes vivants, n'aurions pas le droit d'y pénétrer.

— Vivant, toi, tu l'es sans aucun doute, p'tit prince.

— Tu veux dire... ? Tu es mort ?

Mangemort, bouffonnant, éleva ses longs bras squelettiques.

— Je ne prétendrais certes pas être aussi vivant que toi ! Je suis ton guide, p'tit prince. Un guide qui connaît sur le bout des os la plupart des chemins et des pièges de la « forêt sous la terre ».

— Pourquoi ? Pourquoi es-tu avec moi ?

— À ta question, je répondrai par cette autre question : pourquoi ne me fais-tu pas confiance ? Qu'as-tu à perdre ?

— Vous êtes à la poursuite de Lancelot. Peut-être vous servez-vous de moi pour l'atteindre ?

— Ce n'est pas faux... Mais ce n'est pas vrai, non plus. Écoute : je te propose un marché...

— D'accord.

— Si tu me le demandes, maintenant, je te fais remonter sur terre.

— Alors faites-le.

— Mais je suis contraint de te dire ceci : si tu t'en vas d'ici, Lancelot mourra. Et s'il meurt ainsi, il n'accomplira pas sa dernière mission de chevalier. Prends ta décision.

Dorin ne répondit pas aussitôt. Il réfléchissait. Il leva la tête, chercha, au-dessus de lui, s'il y avait moyen de quitter cette forêt et de remonter par le trou qui l'avait projeté au centre de la terre. Mais il n'y en avait pas : au-dessus de sa tête, il ne vit rien d'autre que les branches des chênes qui semblaient s'entrelacer si étroitement qu'aucune fuite n'était possible. Il s'interrogea aussi sur lui-même, sa mère, et ce demi-frère prestigieux — il avait eu aussitôt la conviction que seul Lancelot pourrait faire de lui le chevalier qu'il voulait être et que les circonstances de sa naissance l'empêcheraient toujours de devenir, quelque exploit qu'il accomplisse. C'est donc après mûre réflexion qu'il se tourna vers Mangemort et lui dit :

— Tu te prétends mon guide ? Alors, guide-moi.

Mangemort eut un rire de satisfaction — et soudain dans sa main apparut un arc.

— Tu auras besoin de cette arme, p'tit prince. Je te l'offre.

Il fit tournoyer sa main gauche dans le vide et, peu après, y apparut un carquois chargé de flèches.

— J'ai même les munitions !

Il cligna de l'œil et s'enfonça dans la forêt de pierre.

— Je te guide ? Tu me suis !

4
La fin de Morgane

Lorsque Morgane et Mordret se jetèrent sur lui, Lancelot s'écarta d'un bond. Les deux ombres le frôlèrent, brûlantes et glacées, et allèrent bouler parmi les troncs.

Cela suffit à rendre son courage au chevalier : il sut qu'il pouvait lutter contre ces ombres. Il mit la main à sa ceinture, dégaina son épée et, prêt à tout, attendit, les jambes fléchies, les sens aux aguets, le prochain assaut.

Dans la pénombre de la forêt sous la terre, il était presque impossible de distinguer Morgane et Mordret. Comment discerner une ombre dans la pénombre ? Un spectre dans la ténèbre des Enfers ?

Ils jaillirent de sa gauche, chauves-souris géantes. Lancelot n'eut que le temps de plonger sur le sol pour éviter leurs griffes et leurs dents.

Dans le mouvement, il lâcha et perdit son épée. Quand il voulut se redresser, les deux chauves-souris, les deux ombres fondaient sur lui. Il n'avait plus d'arme.

Les griffes de Morgane lui entaillèrent l'épaule. Les dents de Mordret lui éraflèrent le cou. Et elles s'y seraient plantées si Lancelot n'avait frappé de toutes ses forces dans la gueule aux yeux rouges du vampire.

Les deux énormes chauves-souris s'étaient posées, côte à côte, sur la branche d'un chêne de pierre. Leurs ailes, leurs gorges palpitaient. Leurs yeux étincelaient de haine.

Dorin tendit la main vers Mangemort.

— Une flèche !

Les deux chauves-souris — Morgane et Mordret — entendirent son cri. Elles eurent un instant d'affolement, tournant leurs têtes affreuses de tous côtés. Puis elles se décidèrent : il leur fallait tuer Lancelot, sans lequel elles ne se trouveraient pas là, âmes mortes, à chercher une dernière revanche. Elles battirent des ailes, quittèrent leur branche et se jetèrent, en piqué, sur le chevalier désarmé.

La flèche de Dorin transperça le poitrail de Mordret. Il poussa un cri strident, atroce. Il voulut battre des ailes encore plus vite — mais ses ailes, dilacérées, se déchirèrent, disparurent, et il n'y eut bientôt plus qu'un homme, ou son ombre, battant désespérément des bras et s'abattant au sol.

— Une flèche ! ordonna Dorin en tendant la main vers Mangemort.

Le temps qu'il faut pour l'écrire et le raconter n'est pas le temps que Dorin a pris pour obtenir deux flèches de Mangemort, bander deux fois son arc, et, deux fois, tirer. Tout cela se fit si vite que Dorin lui-même comprit que ses propres gestes avaient lieu dans un autre monde, où le temps n'existe plus. Où n'existait plus que le combat de la Vie contre la Mort.

La seconde flèche de Dorin traversa la gorge de Morgane. Son vol en fut arrêté net. Elle s'effondra aux pieds de celui qu'elle voulait tuer, Lancelot.

— Tes flèches ont un pouvoir extraordinaire ! s'exclama Dorin en se tournant vers Mangemort.

— Mes flèches ont mon pouvoir, répondit-il simplement.

Il se dirigea vers les ombres de Morgane et Mordret, chacune transpercée de ses propres flèches. Leur aspect magique de chauve-souris les avait abandonnées. Il n'y avait plus, gisants, que deux spectres à forme humaine, dont les mains fantomatiques se serraient autour du trait qui les avait ramenés à leur condition de spectres. Il posa le pied sur la poitrine de Mordret et en arracha la flèche. Puis il s'approcha de l'ombre de Morgane. Il empoigna l'empenne de la flèche qui lui traversait la gorge.

— Que voulais-tu ? Le pouvoir absolu ? Regarde-toi : tu es dans la Forêt des Morts et tu n'y attendais que de te venger et de tuer... Le vrai pouvoir, d'abord, est celui du pardon. Le désir de vengeance est humain, le pardon appartient aux dieux. Tu n'as jamais été divine, Morgane... Humaine, trop humaine...

Il empoigna la flèche plantée dans la gorge de Morgane. Il l'arracha.

Aucun sang ne sourdra de la plaie de sa gorge. Aux Enfers, on ne saigne plus. Mais des paroles jaillirent.

— J'ignore qui tu es, toi qui es plus puissant que moi... D'où vient le pouvoir de tes flèches ?

— Tu as cru être clouée en vol par une flèche, Morgane. Tu ne l'as été que par la pensée.

— Je ne comprends pas...

— Tu as senti qu'une flèche te transperçait. Dorin a envoyé cette flèche. Mais, tous les deux, vous vous trompez. Il n'y a jamais eu de flèche.

— Quoi, alors ?

— Je te l'ai dit : la pensée. C'est elle qui t'a vaincue, Morgane. Tu utilises la magie. Mais, pour qui n'y croit pas, où est la magie ? Qu'est-ce que la magie ?

L'ombre de Morgane essaya de se redresser. Mangemort se pencha, et lui planta le doigt dans la plaie de sa gorge.

— Il n'y a pas de magie. Il y a la vie, il y a la mort. Et chacun doit se débrouiller avec ça.

D'un signe, Mangemort invita Lancelot et Dorin à le rejoindre.

— Regarde-les, dit-il. Ils sont vivants. Et il y a longtemps que tu es morte, Morgane, d'une mort stupide — Merlin, te prenant pour un oiseau, t'a tuée d'un coup de pierre. C'est tellement dérisoire... Toi, qui avais tant de pouvoirs, une seule simple pierre lancée par colère t'a envoyée à Avalon.

— Qui es-tu ? demanda Morgane.

— Je suis le guide de tous, mais pas de n'importe qui.

— Qui es-tu ?

— Ta seconde mort. Et ta dernière.

Il retira soudain son doigt de la plaie que sa flèche avait ouverte dans la gorge de Morgane. Il s'en échappa un flot d'images et de dialogues résumant toute la très longue vie de la fée Morgane, dans une assourdissante cacophonie de sons et une hallucinante nuée d'images. Dorin et Lancelot se plaquèrent les mains sur les oreilles, fermèrent les yeux.

Puis tout s'apaisa. Les images noircirent, devinrent indéchiffrables. Les sons se turent.

Il n'y eut plus rien. Plus rien qu'une forme de plus en plus floue et tremblante jusqu'à ce que Morgane disparût entièrement. Plus rien. Morgane n'était plus rien. Pas même l'ombre d'un spectre.

Mangemort alla jusqu'au fantôme de Mordret et, sans même un mot, il arracha d'un coup sec la flèche plantée dans sa poitrine. Le même tourbillon d'images et de sons s'échappa de la blessure.

Déjà, sans s'en préoccuper, Mangemort entraînait Lancelot et Dorin à travers la forêt.

— On nous attend, dit-il.

— Et Morgane et Mordret ? Que sont-ils devenus ?

— Morgane ? Mordret ? De qui parles-tu ? Il n'y a jamais eu de Morgane ni de Mordret. Ces noms sont bannis à jamais de toutes les mémoires.

Sur ces paroles énigmatiques, Mangemort prit l'arc des mains de Dorin, y engagea une flèche et tira. Elle se planta dans le tronc d'un énorme chêne de pierre.

L'arbre s'ouvrit lentement comme s'ouvre un portail. Une intense lumière de pourpre et d'or en jaillit. Mangemort se tourna vers Dorin et Lancelot, leur tendant à chacun une étoffe noire.

— Bandez-vous les yeux.

Quand ils lui eurent obéi, qu'ils furent aveugles, il les saisit chacun par la main et les conduisit au cœur de l'éblouissante lumière.

— Bienvenue aux Enfers, dit la voix de Mangemort.

5

Les Enfers

Pendant combien de temps Dorin et Lancelot durent-ils porter le bandeau qui les aveuglait ? Ils ne purent s'en faire aucune idée. Le temps était aboli. Ils éprouvèrent à la fois la sensation que cela durait des heures et qu'ils marchaient des lieues et des lieues, et le sentiment qu'à peine un instant s'était écoulé — et qu'ils n'avaient fait qu'un pas — lorsque Mangemort leur rendit la vue.

Ils s'attendaient à un spectacle effrayant, à des ténèbres insoutenables, aux feux innombrables torturant les âmes des réprouvés. « Les Enfers », avait dit Mangemort.

Leur surprise fut grande, et davantage, de se retrouver dans un paysage vallonné, où couraient des ruisseaux d'eau claire, où poussait une herbe épaisse piquetée de coquelicots, de bleuets et de boutons d'or. Les arbres d'un verger, à quelques pas, semblaient porter tous les fruits du monde. Des oiseaux pépiaient sur les branches. Au-dessus d'eux, le ciel était d'azur, sans nuage.

Dorin, le premier, constata l'anomalie :

— Ce ciel est d'un bleu d'été, dit-il. Mais où est le soleil ?

— Pourquoi le soleil suivrait-il sa course dans ce ciel ? Ici le ciel n'est qu'une idée de ciel, et le temps n'existe plus. Ou plutôt n'a jamais existé.

Celui qui venait de parler avec la voix de Mangemort était à présent un homme jeune au profil aigu, coiffé d'un curieux bonnet bleu, à la mode d'un autre temps (ce fut, du moins, le sentiment de Lancelot).

— Qui êtes-vous ? demanda-t-il.

— On m'appellera un jour Dante, ce sera mon prénom. Quant à vous, continuez de me nommer Mangemort. Je suis votre guide.

Il leur fit un signe pour qu'ils le suivent, et commença à descendre le vallon vers la rivière.

— Quand j'étais un vivant, comme vous, et que je portais le nom de Dante Alighieri — mais non, je me trompe, pour vous je ne suis pas encore né, il s'en faut de près d'un millier d'années... —, j'ai écrit un long poème dans lequel je visitais l'Enfer et ses sept cercles, le Purgatoire et le Paradis.

Il eut un petit rire moqueur :

— Il faut croire que la littérature dit parfois quelque vérité inconnue aux mortels puisque, à peine mort à mon tour, j'ai été institué, sur la foi de mon poème, « guide des âmes ».

— Quel est ce poème ? demanda Lancelot.

— Oh, vous n'avez pu le lire ni en entendre parler, chevalier. Je l'écrirai huit siècles après votre propre mort.

— Huit siècles ? Quelle fable me racontez-vous là ?

Si cela était vrai, vous ne pourriez pas être mort puisque vous n'êtes pas né !

— Que vous ai-je dit, tout à l'heure ? Ici, le temps n'existe pas. Ici cohabitent tous les morts de l'histoire du monde. Sur terre, certes, je ne naîtrai que dans huit cents ans à peu près. Mais ici je suis déjà le mort que je serai et que nous serons tous, inéluctablement.

— C'est invraisemblable !

— Je vous l'accorde. Mais c'est ainsi.

Ils approchaient de la rivière. De très jeunes filles émergèrent de l'onde. Elles étaient neuf, elles étaient belles, et chacune d'une couleur de peau et de chevelure différente de ses compagnes. Elles rirent, pour rien, pour le plaisir de rire et d'être là, semblait-il. Mangemort les salua.

— Mesdemoiselles, je vais vous confier le prince Dorin. Soyez aimables avec lui comme vous savez l'être avec quiconque vous plaît.

Il se tourna vers Lancelot.

— Nous avons deux visites à faire. La première est pour vous, chevalier.

Les jeunes filles de l'onde entouraient Dorin, riant toujours, et lui touchant les cheveux, les épaules, la nuque. Décontenancé, intimidé, il tentait d'échapper à leurs caresses sans toutefois les vexer.

— Et moi ? demanda-t-il.

— Je reviendrai vous chercher pour la seconde visite, qui vous concerne. Patientez. Vous plaît de... ? demanda-t-il aux jeunes filles en désignant Dorin.

— Oh ! oui... !

Mangemort entraîna Lancelot vers le gué : sept larges pierres plates qu'ils franchirent sans se mouiller les pieds. « D'ailleurs, se demandait Lancelot, est-ce que *cette eau* est de l'eau ? »

Comme si elle avait percé ses pensées, l'une des jeunes filles — la plus noire de peau, la plus rieuse et la plus espiègle — vola d'un trait jusqu'à lui et chantonna :

— *Mouille, mouille l'eau*

De la rivière, de la rivière.

Et elle le poussa d'un brusque coup des deux mains sur la poitrine. Lancelot, perdant l'équilibre, battit inutilement des bras — et tomba à la renverse.

— Êtes-vous encore sec, chevalier ? demanda la jeune fille, tandis que ses compagnes riaient de plus belle.

Furieux, Lancelot se redressa, trempé jusqu'aux os.

— Ici, l'eau mouille, chevalier, comme chez les vivants. Il suffit que, Muses, cela nous amuse.

Elle virevolta en l'air et tout à coup se retrouva tout près de Lancelot, les lèvres contre son oreille.

— Ne m'en veuillez pas. Nous voyons si peu de vivants — et jamais d'aussi beaux que vous...

Cela dit, elle le souleva hors de la rivière et le plaça sur l'autre rive. Il se rendit compte que ses vêtements — et lui-même — avaient séché instantanément.

— Sans rancune ? fit-elle en rejoignant ses compagnes, qui faisaient des agaceries à Dorin, lequel ne savait s'il devait s'en défendre ou se rendre.

— Thalie, fit Mangemort d'un ton de patient reproche, tu as exagéré...

— Thalie ? demanda, surpris, Lancelot. C'est le nom de...

— Oui, chevalier, c'est le nom de la muse grecque

de la comédie. Et, vous voyez, elle ne peut s'empêcher de jouer des tours.

— Mon maître, Caradoc, lorsque j'étais enfant, m'a appris beaucoup de choses sur cette antique civilisation grecque. Je me rappelle les neuf Muses. Mais je ne me doutais pas que...

— Que Thalie, la muse de la comédie, était noire ? Ou qu'elle vous ferait des avances ?

Cependant, ils étaient entrés dans un bosquet d'arbrisseaux aux fleurs roses. Mangemort leva la main.

— Laissons-là cette discussion.

À la sortie du bosquet rose, se découvrit devant eux une immense étendue blanche et brillante comme la glace ou le diamant. À quelques pas se dressait une petite chapelle, blanche elle aussi, dont la porte s'ouvrait sous une ogive. Une lueur rosée palpitait comme un cœur à l'intérieur de cette chapelle.

Ils y entrèrent.

Les murs étaient nus. Percé dans le mur du fond, un vitrail de rubis diffusait une lumière apaisante sur un autel de bois clair, posé sur une courte estrade. Il y eut un bruit sourd dans le dos de Lancelot. Il se retourna : la porte de la chapelle s'était refermée sur lui. Mangemort, son guide, avait disparu.

— Ainsi nous voilà réunis.

La voix avait résonné face à lui, une voix de vieil homme ironique. Sur l'estrade, un vieillard apparut : une houppelande blanche l'enveloppait comme un nouveau spectre. Lancelot, par réflexe, porta la main à son épée : il n'en avait plus. Sa ceinture était vide.

Alors le vieillard, dans un large mouvement de manche, leva le bras.

— C'est cela que tu cherches ?

Il déposa l'épée — cette épée que Lancelot, à l'instant, avait voulu saisir et qui avait disparu de sa ceinture — sur l'autel de bois.

— Sais-tu seulement t'en servir ?

Un telle question ne pouvait qu'offenser Lancelot.

— Dans ma jeunesse, on m'appelait « le meilleur chevalier du monde » ! Que ce fût vrai, que ce fût faux, Dieu seul en est témoin ! Et Il est témoin que j'ai accompli plus que ma part dans la défense du royaume de Logres !

— Ne prononce pas le nom de Logres !

La voix du vieillard tremblait d'indignation.

— Tu sais, tu as toujours su que Logres n'aurait jamais été envahi, que le roi Arthur et ses chevaliers n'auraient jamais été vaincus à Carduel, si tu avais été présent, si tu avais été près d'eux, avec eux, avant même la bataille ! Tu as failli à ton rôle de chevalier, Lancelot ! Si tu n'avais pas trahi le roi dans son amour pour son épouse, tu serais resté auprès de lui, tu aurais été son meilleur général, et les troupes de Mordret et des félons auraient été exterminées à Carduel !

Lancelot tomba à genoux.

— Je *sais* tout cela ! À quoi bon le répéter, le ressasser ? Depuis plus de dix ans, mon cœur me le répète, me le ressasse...

— Debout !

Lancelot s'appuya d'une main au sol.

— Je n'en peux plus...

— DEBOUT !

Péniblement, Lancelot obéit. Le vieillard descendit de l'estrade et commença à s'approcher de lui.

— J'ai honte de te voir ainsi... Si faible... Redresse-toi !... Tu es ce que tu es. À présent, il va falloir que tu gagnes de haute lutte le droit de devenir... moi !

Parvenu devant Lancelot, le vieillard s'arracha sa houppelande : le chevalier, avec un cri de stupeur, recula. Ce vieillard... ce vieillard... c'était lui-même... Chargé d'ans, de rides et de cicatrices...

— Oui, j'ai vieilli... Nous avons vieilli, toi et moi. Je suis toi, tu es moi, nous sommes les deux moments d'un seul être...

— Jamais ! dit Lancelot. Jamais je ne serai ce vieil homme ! Jamais je ne serai toi !

— Écoute-moi : de nous deux, le vieil homme, c'est toi ! Tu as renoncé à te battre contre le monde et contre toi-même ? Oh, oui ! Surtout contre toi-même ! Tu es venu à Brocéliande pour échapper à toutes tes responsabilités !

Le vieillard agrippa Lancelot par la manche. Ses yeux étincelaient de colère.

— Tu me rencontres ici, aux Enfers, pour prendre une dernière décision. La plus grave décision de ta vie...

Lancelot tenta de s'arracher à l'emprise du vieillard — de ce vieil homme qui n'était que lui-même. En vain.

— À cet instant, je suis plus fort que toi. Dans l'absolu, tu es plus fort que moi. *Je ne suis que celui que tu deviendras si tu accomplis ton destin jusqu'au bout.*

Soudain, le vieux Lancelot tapa dans ses mains, sous le nez même du Lancelot plus jeune.

— Hop ! J'ouvre la porte ! Et tu t'en vas !

En effet, la porte de la chapelle s'était ouverte derrière Lancelot. Il eut l'envie de s'enfuir. Il hésita.

— Et si je reste, demanda-t-il, que m'adviendra-t-il ?

— Regarde-moi : je suis ce qui t'adviendra. Oh, certes, tu ne rajeuniras pas, Lancelot. Des douleurs de plus en plus vives te tailleront, qu'aucune herbe ni aucun druide ne pourront soulager. Tu deviendras *vieux*. Je sais : il n'y a rien de pire pour un chevalier que de devenir vieux. Tu apprendras la défaite dans le combat d'homme à homme. Tu seras moins vif, moins solide que tes adversaires. Ce que tu étais capable de faire avec une épée ou un cheval à vingt, à trente, voire à quarante ans, tu ne le pourras plus.

— Alors, à quoi bon ? demanda Lancelot. Je suis un chevalier. La seule chose que je sache faire, c'est la guerre... Pourquoi accepterais-je de devenir comme toi ? Si vieux ?

— Je n'ai pas le droit de te l'expliquer. Je n'ai que celui d'être moi — et moi, c'est toi, peut-être, si tu en fais le choix — et d'essayer de te convaincre. Le temps nous est compté et nous appartient. Ce choix, c'est maintenant qu'il te faut le faire. Quel avenir veux-tu ?

Le vieillard changea instantanément d'aspect : il eut l'air encore plus vieux, décrépit et malade. Courbé en deux par les rhumatismes, il souriait, exhibant les trois dernières dents qui lui restaient dans la bouche.

— Ceci ? demanda-t-il.

Dans une envolée de houppelande, il changea à nouveau d'aspect : il se fit si jeune que Lancelot lui-même eut du mal à le et à se reconnaître dans ce jeune homme de dix-huit ans, très beau, très grand, très fort, et souriant de toute la blancheur de ses dents intactes.

— Ou cela ?

Les manches de la houppelande battirent une fois encore, et l'ombre redevint un vieillard — le vieillard *qu'il serait.*

— Alors ? demanda-t-il.

— Je peux redevenir le jeune chevalier que j'étais ? demanda Lancelot.

— Non, tu ne le peux pas. Tu *crois* que tu le peux, et tu l'as cru vingt ans durant. Apprends à vieillir. Ce jeune homme que tu as été n'existe plus, sauf en toi-même qui refuses le passage des ans. Depuis vingt ans, Lancelot, tu fais semblant d'être ce jeune homme. Regarde-toi. Vois, enfin, la vérité en face.

Le vieillard fit tomber sa houppelande au sol. Il apparut, nu, tel que Lancelot découvrit tout à coup l'être lui-même. Le chevalier, effaré, recula d'un pas, mit les mains au bas de son ventre pour cacher son intimité. En face de lui, un même Lancelot, tout aussi nu, mais souriant avec ironie, reproduisit ses gestes, comme en un miroir.

— Regarde-toi. Toutes ces cicatrices... Tout ce temps passé que tu refuses d'accepter, mais dont ton corps a inscrit dans sa chair chaque étape, année après année, jour après jour... Cesse de croire que tu es encore « Lenfant » de dix-huit ans que Viviane présentait à la cour d'Arthur. Regarde-toi. Et admets. Sois qui tu es.

Et, en effet, Lancelot regarda cet autre Lancelot qui l'affrontait, en miroir. Cette image de lui-même l'accabla. Il ferma les yeux.

— S'il te plaît, toi qui es moi, rhabille-moi...

Ainsi fut-il fait, avec cette instantanéité des événements qui avaient lieu dans ces Enfers si mal nommés. Le vieillard se retrouva vêtu de sa houppelande, Lancelot, de ses chausses et de sa cotte blanches.

— Bientôt, tu quitteras cet endroit et la « forêt sous la terre ». Je crois que tu as compris. Tu vas rentrer à Camaalot, où t'attend Guenièvre. Ensuite...

— Ensuite ?

— Ensuite, tu seras un jour à ma place — à *ta* place — et, vieillard en houppelande, tu accueilleras un Lancelot de quarante ans, qui ne croira plus en rien parce qu'il ne croira plus en lui-même. Tu lui parleras comme je viens de te parler. Avec les mêmes mots. Et il te répondra ce que tu viens de me répondre — avec les mêmes mots, exactement.

— Vous voulez dire... ? Vous saviez d'avance ce que nous nous dirions ?

Le vieillard haussa les épaules.

— D'avance ? Ici, cela n'a pas de signification ni de sens. Ici, tout est tel que c'est. Un point, c'est tout. Ici, il n'y a ni avant, ni après, ni maintenant. Il y a... ce qu'il y a...

Le vieillard se gratta le front.

— En fait, tu sais... la vie d'ici est très ennuyeuse... Je t'envie de bientôt remonter sur terre, et d'y connaître à nouveau les soucis, les ennuis, les bonheurs inattendus et les peines inadmissibles, tout ce qui fait une existence, en somme...

Dans un élégant mouvement de houppelande, le vieillard repartit vers l'estrade et l'autel.

— Tu vas oublier que tu as été « invité » ici, Lancelot ! Tu vas recommencer à vivre. Pour de bon, pour de vrai. Sans jamais savoir si tu as eu raison ou tort de faire tel ou tel geste, de prendre telle ou telle décision... Le libre arbitre, Lancelot ! C'est ça, la vie !

Dans un claquement de manches qui ressemblait à un battement d'ailes, le vieillard plongea derrière l'autel.

— Bonne chance !

6

Orguelise

La chapelle s'était volatilisée. Lancelot se retrouva seul au milieu d'une prairie où poussaient de nombreux coquelicots, comme autant de taches de sang frais.

Mangemort lui toucha le bras.

— Ça va ?

— Il s'est moqué de moi ?

— Tu veux dire : t'es-tu moqué de toi-même ? Car lui, c'était toi, n'est-ce pas ? Tu l'as compris ?

— Je ne serai jamais ce vieillard.

— Lors d'une vie, tu l'as été. C'est pourquoi il a pu s'adresser à toi.

— Voilà mon destin, alors ? Devenir ce vieillard ?

Mangemort eut un petit rire — qui se voulait amical et n'était qu'inquiétant — et prit Lancelot par le bras.

— Je n'ai pas pour habitude d'écouter aux portes, mais... il me semble qu'il t'a parlé de « libre arbitre » ?

— Ce qui signifie ?

— Que (je résume...) ce vieil homme n'est autre

que toi-même, tel que tu auras choisi d'apparaître en ces Enfers. Mais, si, lorsque nous t'aurons rendu au monde des vivants, tu choisis d'autres choix que ceux qui feraient de toi ce vieillard que tu as rencontré... eh bien, tu ne deviendras pas ce vieillard.

— Je ne comprends pas...

— Comprends au moins cela : si tu accomplis une folie qui t'empêche d'arriver à l'âge de ce vieillard (qui est toi, pour l'instant, dans le temps toujours mouvant de ces Enfers où le temps et les actes ne sont qu'un jeu de possibilités toujours changeantes), tu ne deviendras pas ce vieillard. Et donc je ne t'accompagnerai pas aux Enfers pour le rencontrer. Puisque ce vieillard, toi plus tard, n'existera pas. C'est tout simple, non?

— Je n'y comprends toujours rien.

— Peu importe. Tu comprendras quand tu seras parmi nous pour l'éternité. Pour l'instant, tu n'es qu'un invité, un visiteur — dans une quinzaine de siècles, on appellera cela un « touriste » (quelle horreur... j'en frémis...).

— Je comprends de moins en moins.

— C'est naturel.

Et, pour couper court à d'autres questions et commentaires du chevalier, Mangemort claqua dans ses doigts. Les deux hommes disparurent, pour réapparaître au bord de la rivière.

Les neuf jeunes filles étaient nonchalamment étendues dans l'herbe, entourant Dorin. Elles étaient penchées vers lui avec des airs de conspiratrices. Lorsqu'elles virent Lancelot et Mangemort, elles se turent soudain, et plusieurs pouffèrent de rire.

— C'est ton tour, Dorin, dit Mangemort. Je dois te conduire auprès de celle qui t'attend.

— Et vous emmenez aussi le chevalier ? demanda Thalie, glissant dans l'air pour les rejoindre.

— En effet.

— Alors il n'est pas au bout de ses surprises !

Cette joyeuse exclamation déclencha un nouveau rire général des Muses. Lancelot, qui n'aimait guère qu'on pût se moquer de lui, fronça les sourcils.

— Que se passe-t-il de si drôle ?

— Je crois, chevalier, répondit Thalie en lui caressant furtivement la joue, que bientôt vous allez accomplir un acte que vous croyiez impossible !

— Tais-toi, Thalie, fit Mangemort — qui ne pouvait cependant s'empêcher de sourire.

Et, tendant la main à Dorin, il ajouta :

— Venez. Il est temps.

Et c'est dans un bruissement de petits rires à la fois amusés et complices que Mangemort, d'un simple claquement de doigts, se transporta en compagnie de Dorin et de Lancelot en un autre endroit des Enfers.

*

— C'est... C'est Carduel ! s'écria le chevalier.

Devant eux se dressait une forteresse verticale : son donjon montait très haut vers le ciel sombre d'un soir d'hiver, étroitement enserré dans ses murailles. La mer, d'un gris plus clair que le ciel, roulait des vagues lourdes et lentes comme le mercure. Le rivage était couvert de neige.

Le cœur battant, Lancelot descendit sur la plage

enneigée. Tant de souvenirs remontaient soudain du plus profond de lui... Là, pour la dernière fois, il avait combattu aux côtés du roi Arthur. Là, pour la dernière fois, il avait tenté d'être le chevalier qu'il devait être et de renverser une situation dont il avait toujours pensé que sa trahison — son amour pour Guenièvre, la reine — en était la première responsable.

Il tomba à genoux dans la neige et le sable, à quelques pas des vagues mourantes du rivage. Là, à cet endroit-même, il avait recueilli les dernières paroles d'Arthur. Des paroles de sagesse et de pardon. Et c'était là que le roi avait donné Excalibur, son épée, au jeune Galehot pour qu'il la jette dans la mer, là qu'une longue main blanche de femme avait jailli des vagues, refermé les doigts sur le pommeau, l'avait brandie vers le ciel avant de s'enfoncer lentement dans les flots, l'emportant avec elle.

Mangemort et Dorin rejoignirent Lancelot sur la grève. Le guide lui posa la main sur l'épaule.

— Relève-toi. Et accompagne-nous.

— Où sommes-nous ? demanda Dorin. Pourquoi semblez-vous si ému, chevalier ?

Lancelot se redressa péniblement.

— Nous sommes sur la plage de Carduel. Là où le roi Arthur est mort, de la main même de son propre fils, Mordret. Là où toute la chevalerie de la Table Ronde a été décimée par des troupes de traîtres à leur pays et à la couronne. Là où j'aurais dû me trouver, dès avant la bataille... et peut-être le cours de cette bataille aurait-il été différent, peut-être aurions-nous vaincu... Peut-être le roi ne serait-il pas mort ni la Table Ronde vidée de tous les chevaliers qui combattaient en son nom... Si j'avais été là...

— Allons, Lancelot, dit Mangemort, oubliez votre tristesse. Nous ne sommes pas à Carduel. Nous sommes dans son image telle qu'elle vit encore dans le royaume des Morts.

Il prit Dorin par le coude.

— On vous attend. Venez.

Ils contournèrent la forteresse. Ils arrivèrent au ponton où, plus de dix ans auparavant, Lancelot et Galehot avaient conduit Arthur mourant, qu'une barque à la voile blanche avait emporté à Avalon, l'Île des Morts.

La même barque que celle qui, à cet instant, accostait au ponton.

La voile blanche faseya, s'abattit lentement le long du mât. Une ombre se dressa dans l'embarcation.

Elle portait une longue robe noire à capuchon.

— Le temps est venu, dit-elle.

— Le temps est venu, répéta Mangemort.

L'ombre noire désigna Dorin.

— Je suis venue pour toi. Tu portes un lourd secret, n'est-ce pas ?

— Les secrets sont légers à porter quand ils nous protègent, répliqua Dorin.

Mangemort approuva sa réplique d'un hochement de tête.

— Le temps est venu de divulguer ce secret.

L'ombre dénoua le cordon qui retenait les pans de sa robe, baissa son capuchon et, d'un geste noble, s'en défit. Aux yeux de Mangemort, de Dorin et de Lancelot apparut une jeune femme à la longue chevelure rousse, et revêtue d'une armure.

— Me reconnais-tu ?

Dorin porta la main à sa poitrine.

— Vous êtes... ? Tu es... ?

La femme en armure inclina la tête.

— *Nous* sommes, dit-elle. Je suis toi, tu es moi. Je suis ton avenir et ta vérité.

D'une seule enjambée, elle monta sur le ponton. Elle fit face à Dorin.

— Tu es ici, à Carduel, pour devenir enfin qui tu es.

Elle se tourna vers Lancelot.

— Chevalier, tes remords ont presque effacé ta faute. Oui, tu as trahi Arthur, oui, cette trahison l'a affaibli, oui, cette faiblesse qu'il te devait l'a conduit, lui et toute la Table Ronde, au désastre de la bataille de Carduel. Mais tu as su te comporter avec courage et dignité durant les dix ans qui ont suivi. Tu as préservé le souvenir et l'ambition de la Table Ronde. Tu as su vaincre en toi, jour après jour, ton désir et ton amour pour la reine Guenièvre.

— Qui es-tu ? demanda Lancelot.

— Mon nom est Orguelise. Je suis ta sœur, née d'Hélène et de Claudas.

Elle mit sa main sur l'épaule de Dorin.

— Nous sommes Orguelise, ajouta-t-elle. Dorin n'a été qu'un simulacre de garçon inventé par Hélène.

Lancelot dévisagea Dorin avec stupéfaction.

— Tu es... une *fille* ?

Dorin-Orguelise hocha la tête, embarrassé(e).

— Claudas, mon père, voulait un héritier, expliqua-t-elle. Un héritier mâle, comme la loi et la coutume de Bénoïc le réclamaient. Ma mère — *notre* mère —, avec la complicité de ma nourrice, lui a caché la réalité de mon sexe. Sinon, il nous aurait répudiées, chassées, fait assassiner, peut-être... Hélène ne désirait qu'une chose : que Trèbe et Bénoïc soient repris à Claudas. Elle m'a fait passer pour un garçon, j'ai été élevée comme un garçon, et chaque jour de notre vie, dès que j'ai été en âge de comprendre que *je n'étais pas un garçon*, nous avons vécu dans l'angoisse, dans la peur que Claudas découvre la supercherie...

— Mais, demanda Lancelot, pourquoi m'as-tu menti, à moi ? Tu savais que j'étais ton frère...

— Depuis longtemps, depuis que je connais ma condition, j'ai désiré devenir chevalier. C'était impossible. Je pouvais tromper Claudas, je ne pouvais pas tromper Dieu. Aucune femme n'a jamais été chevalier. Aucun chevalier n'aurait accepté de me donner la colée en sachant que j'étais fille. Or, si je veux, plus que tout, être chevalier, je le veux sans mensonge. Dorin n'existait pas : il ne pouvait être adoubé. Orguelise est fille : personne n'accepterait de lui donner la colée.

« Le jour du concours d'archers, j'étais prête à affronter Malangrenant et les autres prétendants. Si j'avais remporté ce défi, la coutume et la loi m'auraient mise sur le trône de Bénoïc. J'aurais joué mon rôle de roi comme, depuis l'enfance, j'ai joué mon rôle de prince. J'aurais continué à mentir quant à mon sexe. Et jamais je n'aurais osé accomplir mon vœu le plus cher : être faite chevalier.

« Et vous êtes venu. Vous avez proclamé, avant moi : "J'ose !" Vous avez remporté le concours et tué les prétendants. Je vous ai haï de me priver ainsi de ce pouvoir pour lequel, afin de l'obtenir, Hélène et moi avons menti durant des années, jour après jour, heure après heure, geste après geste. Au péril de notre vie.

« Le matin de votre départ, ma mère — *notre* mère — m'a révélé la vérité. Vous étiez son fils, perdu quarante ans plus tôt au bord du Lac. Vous étiez mon frère. Mais, bien davantage, *vous étiez le fameux Lancelot.*

« Dès lors, je vous ai suivi. Et imité en tout. Je voulais apprendre ce qu'est la condition de chevalier, chaque jour. Je voulais — j'étais idiote, je le reconnais... — observer, retenir et reproduire tous vos gestes, tous vos actes, afin de vous ressembler...

— Pourquoi ? dit Lancelot. Pourquoi voulais-tu me ressembler ? Pour devenir chevalier ?

— Oui.

— Tu as une idée fausse de la chevalerie. Il ne s'agit pas de savoir capturer une carpe à mains nues dans la Loire, ou un lièvre dans un bois à la tombée de la nuit... Mais tu m'as amusé dans ton obstination à m'imiter. J'en ai profité, d'ailleurs, tu l'as remarqué, pour me moquer de toi... Il ne s'agit pas même d'être le meilleur des archers, des cavaliers, des chasseurs, des pêcheurs, ni même des guerriers.

— De quoi s'agit-il alors ? demanda l'ombre en armure d'Orguelise.

Lancelot se frotta le front.

— Une femme ne peut le comprendre...

L'Orguelise en armure tira soudain son épée du fourreau. La pointe de la lame toucha Lancelot sous le menton.

— Que vous soyez plus fort : je vous l'accorde.

Plus habile ? Je suis une femme et mon épée menace votre gorge... Que disiez-vous, au fait ?

Le chevalier agrippa la lame dans son poing. Au mépris de la douleur et du sang, il l'écarta.

— Peu importe ce que je disais, murmura-t-il d'un ton menaçant. Je crois aux actes plus qu'aux mots. Si je suis ici, c'est que mon destin m'y a conduit. Votre prétendue « habileté » dans le maniement des armes n'y changera rien. J'ai affronté des magiciennes, des dragons et des monstres, des Guerriers Roux et des chevaliers écossais, gallois, irlandais ou félons. Tous croyaient pouvoir me vaincre. Ils sont morts d'avoir commis cette erreur.

« Je suis au-delà de la peur et en deçà de l'indifférence. Je suis là, j'écoute et j'attends : pourquoi suis-je ici et que me voulez-vous ?

Lancelot ouvrit les doigts, libérant la lame. L'Orguelise en armure rangea l'épée dans son fourreau.

— Allons sur la plage, dit-elle.

Ils la suivirent jusqu'à l'orée des vagues.

— Chevalier, dit-elle, quelque chose, tout à l'heure, va avoir lieu : ce que vous appelez « un acte ». Vous soumettrez-vous à l'évidence de cet acte ?

— Montrez-le moi. Nous discuterons ensuite.

— Comme vous voudrez.

L'Orguelise en armure éleva les bras. Elle psalmodia des mots dans une langue inconnue de Lancelot, Dorin ou Mangemort.

La mer, alors, se mit à refluer. Les vagues, au lieu de s'étaler sur la plage enneigée, revinrent en arrière, revinrent si loin que bientôt tout le rivage se retrouva à découvert — comme sous l'effet d'une marée si rapide qu'elle en sembla instantanée.

Une femme apparut, révélée par cette mer refluante. Elle était vêtue d'une longue robe blanche. Dans ses mains, elle portait une épée dont la lame étincelait malgré un ciel si sombre qu'il semblait un ciel de nuit.

Elle s'avança vers Lancelot, Mangemort et les deux Orguelise.

— C'est vous ? dit le chevalier. Vous ?

C'était Viviane.

Sa tutrice, sa vraie mère, celle qui l'avait élevé pour qu'il devienne le premier chevalier capable d'obtenir le Graal.

Elle vint à leur rencontre, portant toujours l'étincelante épée dans les mains.

— Voici Excalibur, dit-elle. Elle t'est destinée.

Et, alors que Lancelot s'apprêtait à se saisir de l'épée mythique, Viviane se tourna vers Dorin-Orguelise, lui offrant l'arme.

— Elle est à toi...

Ce furent les derniers instants de Dorin, du mensonge et de la supercherie. À peine la nouvelle Orguelise eut-elle pris dans sa main la poignée d'Excalibur que ses cheveux roux poussèrent telle la crinière d'un poney d'Irlande, qu'une armure d'argent lui enserra la poitrine et les jambes — et qu'elle ressembla, trait pour trait, détail par détail, à l'Orguelise des Enfers, en laquelle bientôt elle se confondit pour ne faire plus qu'une seule et même personne.

Mangemort claqua les doigts :

— J'ai été ravi de vous connaître. Adieu.

Sur quoi, il se volatilisa.

Comme si ce geste n'était pas le sien — comme si quelque force étrange et étrangère l'avait prise par le poignet —, Orguelise brandit Excalibur.

— Maintenant, dit Viviane, donne-moi l'Épée et mets un genou en terre.

Elle obéit. Viviane planta Excalibur à la droite de la jeune fille — et, dans le soleil couchant de l'hiver, elle étendit sur la plage enneigée l'ombre longue d'une croix.

— Lancelot, approche-toi de ta jeune sœur.

Réticent, il hocha la tête.

— Veux-tu vraiment m'obliger à commettre ce... ce sacrilège, Viviane ?

— Je veux que tu choisisses d'accomplir ton devoir, répondit-elle avec calme. Orguelise est la dernière représentante de ta lignée, la dernière à pouvoir perpétuer l'esprit de la Table Ronde.

— C'est faux. J'ai un fils, tu le sais !

— Galahad n'est plus de ce monde.

Lancelot pâlit.

— Quoi... ? Galahad est mort ?

— Galahad est vivant, Lancelot, rassure-toi. Mais il a vu le Saint-Graal. Il n'appartient plus au monde terrestre. Dieu lui a accordé une grâce magnifique et terrible, dont je n'ai pas le droit de t'expliquer la nature.

Elle toucha la nuque d'Orguelise qui se tenait toujours un genou en terre, le front baissé.

— Une femme t'a donné la vie, Lancelot : Hélène. Une autre femme, moi, t'a enseigné la bravoure et la prouesse nécessaires à l'accomplissement de ton destin. Une troisième femme, Guenièvre, et une quatrième, Morgane, t'ont entraîné vers d'autres chemins, un autre destin, dont nul ne peut juger s'il a été meilleur ou pire. Il a été, voilà tout. Il a été le destin d'un homme — ton destin —, avec ses erreurs et ses fautes, ses combats incertains et son courage de vivre.

« Tu as été un modèle de chevalier, Lancelot, non par ta longue invincibilité, mais par ta capacité, chaque fois que le destin t'était contraire, à te relever, à te dresser contre le malheur et tes propres errements, à chercher toujours à devenir meilleur que ce que tu étais. Les siècles à venir se souviendront de toi comme d'un chevalier incomparable, et pourtant ta grandeur, ton honneur et ta prouesse véritables, tu les auras démontrés dans ton courage à affronter les épreuves, partagées par tous, d'une vie d'homme. C'est cela, l'authentique chevalerie.

« À ton tour, maintenant, de transmettre une dernière fois le don le plus noble, le plus haut et le plus difficile à honorer, le don de chevalerie. Et ce sera — car ainsi l'ont voulu la courbe et la course de ton destin — à une femme encore, ta sœur Orguelise. Approche-toi d'elle.

Viviane fit un pas de côté. Comme si elle se mettait à l'écart. Comme si ce qui aurait lieu ne concernait à présent que le frère et la sœur, Lancelot et Orguelise.

Le chevalier vint se placer devant la jeune fille rousse. Il échangea un dernier regard avec Viviane, puis s'adressa à Orguelise.

— Relève le front ! lui ordonna-t-il.

Elle releva le front.

— Es-tu certaine de ce que tu veux ? Tu sens-tu assez forte ?

— Oui.

— Alors...

Il ferma le poing. Il déclara :

— Au nom de Dieu, je te fais chevalier !

Le poing de Lancelot la frappa à l'angle du cou et de la mâchoire. Elle ne broncha pas. Elle ne baissa pas les yeux.

Il hocha lentement la tête, avec une sorte de contentement. Il prit Excalibur qui était plantée dans la neige et le sable, la brandit vers le ciel de plus en plus noir, puis à son tour mit un genou en terre. Orguelise et Lancelot se retrouvèrent face à face. Il plaça l'Épée sur ses paumes offertes et la lui offrit.

— Que Dieu, à chaque instant, te vienne en aide !

Elle reçut Excalibur en inclinant humblement la tête.

— Votre don, je l'accepte.

— Grand merci, fils de roi, Lenfant, mon Lancelot, dit Viviane.

— Et maintenant ? demanda le chevalier.

— Maintenant ? Sache vivre le reste de ton âge...

La mer, la plage et la neige, le donjon et les murailles de Carduel — tout cela trembla comme un mirage, et disparut. Un souffle à la fois brûlant et doux enveloppa et emporta Lancelot. Il se sentit projeté loin, très loin d'ici. Il vola. Il dominait une terre plus vaste qu'il ne l'avait jamais imaginé. Le monde entier s'offrait à lui, à l'infini.

Villages et cités, rivières et fleuves, lacs et mers, collines et montagnes, forêts et déserts, saisons et météores se mêlaient : neige d'hiver, pluie d'automne, fleurs de printemps et grand soleil de l'été.

Orages, bourrasques et tempêtes s'apaisaient au-dessus de vallées verdoyantes et fraîches. Des volcans en éruption étaient soudain recouverts de paisibles prairies. Les châteaux étaient des chênes, et les forêts des villes. Le soleil inondait les glaciers. Les roses engendraient des roses.

Il n'avait pas peur, il n'avait pas froid. Il se laissait conduire par ce souffle vivant qui le portait au-dessus des montagnes, des plaines et des fleuves, par-delà les horizons — au-delà de lui-même.

Il était bien, et heureux. Il aurait voulu que ce voyage durât toute sa vie. Il songea : « C'est un rêve. »

Lexique

armes : il s'agit aussi bien des armes défensives (l'armure, le heaume, le haubert et l'écu) que des armes offensives (la lance, l'épée). Par *armes*, on entend aussi les armoiries.

Camaalot : à la fois la ville et le château principal (avec Carduel) du roi Arthur. En général, un château se dressait près d'une ville ou d'un village dont il assurait la protection.

colée : coup donné par le parrain sur le côté du cou ou sur la joue de celui qui était fait chevalier, lors de la cérémonie de l'adoubement. Ce geste éprouvait la maturité du jeune homme, sa capacité à rester maître de soi.

coudée : mesure de longueur équivalant à la distance qui sépare le coude de l'extrémité du majeur.

prouesse : ici, l'ensemble des qualités de bravoure du chevalier.

roncin : le roncin (ou roussin) est un cheval tous usages et tout terrain. Le *destrier* est un cheval de combat ; le *palefroi*, un cheval de cérémonie.

salle : pièce principale du château, où ont lieu les activités sociales : repas, réceptions, cérémonies, etc.

Saxons : depuis le milieu du Vᵉ siècle environ, les Saxons, venus de Germanie, et les Angles, venus du Danemark, ont entrepris l'invasion de la Grande-Bretagne. Arthur et ses chevaliers sont des Celtes, peuple autochtone.

tournoi : contrairement à l'image que les films ont popularisée sous ce nom (et qui est, en fait, le *jugement*), les tournois consistaient essentiellement en l'affrontement de deux ou plusieurs troupes de chevaliers, sur un terrain parfois très étendu qui pouvait comprendre un bois, un village, une rivière, etc. Le tournoi était une bataille rangée, le simulacre d'une action de guerre. Des chevaliers sans fief ni héritage pouvaient, s'ils étaient assez habiles et assez audacieux, y faire leur réputation et leur fortune (comme les sportifs d'aujourd'hui) : ils avaient le droit de prendre l'équipement et la monture des adversaires qu'ils avaient vaincus et les vendre, parfois très cher. Ils étaient alors admis dans l'entourage des rois et des princes et les représentaient partout en tant que champions. Ensuite, par le mariage, ils s'élevaient dans la hiérarchie sociale de l'époque.

varlet : adolescent au service d'un seigneur, auprès duquel il fait son apprentissage avant d'être à son tour chevalier (on disait aussi *valet* ou *vallet*).

Table des matières

Biographies

CHRISTIAN DE MONTELLA

L'auteur est né en 1957, a fait des études de lettres et de philosophie. Père de trois fils, il a exercé différents métiers aussi nombreux que variés, avant de choisir l'écriture : ouvrier agricole, comédien, moniteur de sport, attaché d'administration... À ce jour, il a publié des romans au Seuil, chez Gallimard, chez Fayard et chez Stock. Il écrit également pour les enfants à L'École des Loisirs, à Je Bouquine, chez Bayard et au Livre de poche jeunesse. Son roman *Les Corps impatients* a été porté à l'écran en 2003.

OLIVIER NADEL

Peintre, illustrateur se délectant d'huile de lin polymérisée, de sanguine et d'aquatinte.

Terrain d'action : Mythes, Histoire, aventure et didactique multimédia.

Enseigne l'illustration aux Arts-Décoratifs de Strasbourg.

ISBN : 2-08-163081-8

Loi n° 49-956 du 16 juillet 1949
sur les publications destinées à la jeunesse.

Photocomposition C*MB* Graphic
44800 Saint-Herblain